la conquête
de l'Ouest

Cavalier espagnol

Robe pour la danse
des Esprits

Bottes de cow-boy

Stetson

Pic
de mineur

Batée pour laver l'or

Compas de Lewis et Clark

Fusil de Daniel Boone

la conquête de l'Ouest

Par
Stuart Murray

En association avec
la Smithsonian Institution

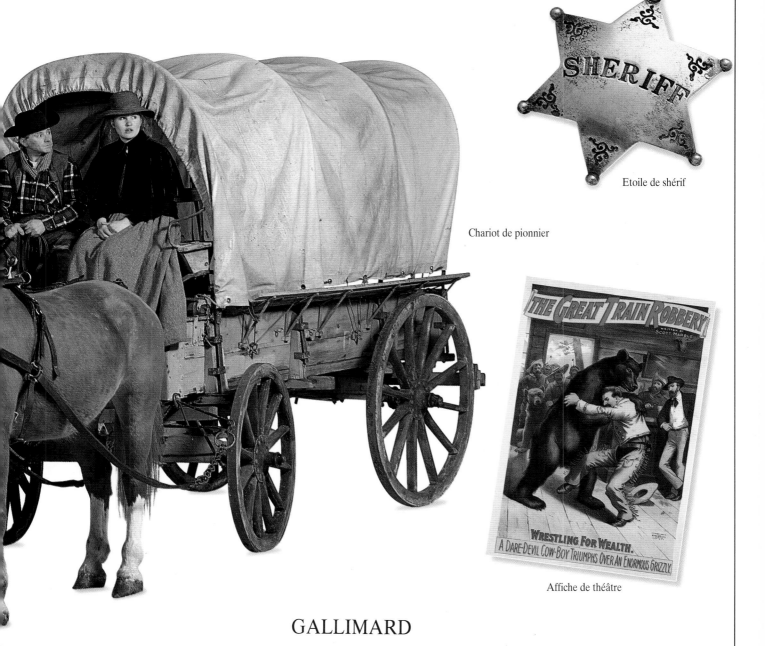

Etoile de shérif

Chariot de pionnier

Affiche de théâtre

GALLIMARD

Bonnet de trappeur en loutre

Totem

Castor

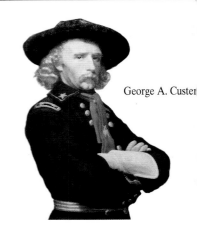

George A. Custer

Six-coups

Affiche des chemins de fer

Fanion de cavalerie

Pour l'édition originale :

Équipe éditoriale américaine :
Responsable éditorial : C. Carter Smith
Édition : Carter Smith
et Aaron Murray
Maquette : Laura Smyth
Conseillers artistiques :
Sherry Williams et Tilman Reitzle
Iconographe : Athena Angelos

Équipe éditoriale britannique :
Responsable éditorial :
Andrew Berkhut et Beth Sutinis
Maquette : Michelle Baxter
Responsable artistique : Tina Vaughan
Fabrication : Chris Avgherinos

Edition originale parue sous le titre :
Eyewitness Guide *Wild West*

Édition française
traduite et adaptée
par Marie Pruche
Spécialiste : Annick Foucrier, historienne
Édition :
Barbara Kekus, Octavo, Paris VIe
et Clotilde Grison
Préparation : Pierre Granet
Correction : Isabelle Haffen
et Éliane Rizo
Index : Pierre Granet
Montage PAO : Octavo

Maquette de couverture :
Raymond Stoffel

ISBN 2-07-054951-8
Copyright © 1994-2002 Editions Gallimard Jeunesse, Paris
« Loi n° 49-956 du 16 juillet 1949
sur les publications destinées à la jeunesse »
Dépôt légal : septembre 2002
Numéro d'édition : 05118

Imprimé en Chine par
Toppan Printing Co., (Shengen) Ltd

SOMMAIRE

Locomotive à vapeur

LA VIE SAUVAGE DANS L'OUEST

L'Ouest américain commence avec les Grandes Plaines qui s'étendent sur plus de 800 kilomètres jusqu'aux montagnes Rocheuses. On y rencontre divers milieux naturels comme la toundra, la prairie, le désert et la forêt. Sur la côte Pacifique croissent des arbres géants tandis que la plaine centrale ne connaît que des bosquets de peupliers. Dans les déserts, des touffes de sauge et des cactus abritent une multitude d'êtres vivants. L'aigle, le coyote, le serpent à sonnettes, le *jackrabbit* et le chien de prairie vivent partout. Les loups, le lynx roux et le lion des montagnes étaient autrefois nombreux. Grizzlis, caribous, bouquetins, élans et cerfs se partageaient les hauteurs. Le wapiti et l'antilope parcouraient la prairie où les bisons totalisèrent jusqu'à 75 millions d'individus. Vers 1900, ils n'étaient plus qu'un millier.

LES GRANDES PLAINES

« Le Grand Désert américain » : c'est le nom que donnèrent les explorateurs à la région semi-aride qui s'étend du Missouri aux montagnes Rocheuses. Ce pays sans arbres, aux précipitations rares, aux cours d'eau peu nombreux et aux longs étés surchauffés, fut tout d'abord considéré comme inculte. Cependant, le bétail y trouva de riches pâturages et les céréales y poussèrent en abondance, en particulier le blé. Des éoliennes amenèrent l'eau en surface et la préservation des sols et l'irrigation placèrent les Grandes Plaines parmi les premiers producteurs mondiaux de blé et de bœuf.

LE CRI DU COYOTE
Le jappement du coyote se fait entendre à travers tout l'Ouest au coucher du soleil. Le coyote chasse les rongeurs et les lièvres et parfois les animaux domestiques mais il évite l'homme.

CHIENS DE PRAIRIE
Les chiens de prairie étaient autrefois nombreux dans l'Ouest américain. Dans les plaines, leurs colonies élevaient des centaines de monticules en forme d'entonnoirs indiquant l'entrée des terriers. Les fermiers et les éleveurs tentèrent de se débarrasse des chiens de prairie qui mangeaient l'herbe dont ils avaient besoin pour leurs troupeaux et qui détruisaient les récoltes.

Les bisons étaient chassés pour leur peau.

Cornes dont Indiens faisa des coupes, des cages à f et des louche

Sabot fourchu à deux doigts

Ses longs poils laineux font paraître le bison plus gros à ses prédateurs.

LE BISON
Les bisons se déplaçai autrefois en vastes troupeaux, comme une ombre sur la plaine. Le mâle, l'un des plu formidables animaux d'Amérique, peut atteindre une tonne. Les indigènes ont longtemps chassé le bison, leur principale source de nourriture et de matière premiè mais l'extension des installations humaine et la chasse quasi industrielle pour les seul peaux allaient bientôt anéantir les troupea

~~M~~ONTAGNES ESCARPÉES ET DÉSERTS ARIDES

~~L~~e paysage dans l'Ouest peut paraître idéal pour la végétation et la vie sauvage ~~o~~u inhospitalier. Cependant, il est partout peuplé de plantes et d'animaux. L'Ouest ~~co~~mprend la plaine centrale, la plus orientale de ses régions, avec ses larges fleuves et ~~le~~s plaines alluviales limoneuses. Plus loin vers l'ouest s'étend la prairie semi-aride ~~de~~s Grandes Plaines. De hautes chaînes de montagnes s'étirent ~~su~~r des milliers de kilomètres du Canada au Mexique et le long du ~~Pa~~cifique. Forêts de pins et pâturages des Hauts Plateaux bordent de grands déserts et des bassins arides et plats. Chaque région possède sa faune et sa flore adaptées au milieu.

L'AIGLE

Les pionniers trouvèrent des oiseaux en abondance dans l'Ouest, dont l'aigle était le seigneur. Les aigles survolent montagnes et plaines, prêts à fondre sur les chiens de prairie et les *jackrabbits*, ou à pêcher les poissons dans les eaux peu profondes.

Serres pour agripper les proies

PANORAMA MONTAGNEUX

Les cascades de Washington sont situées dans les montagnes Rocheuses du Nord – qui font partie d'une chaîne s'étendant vers le sud jusqu'au Nouveau-Mexique. Alimentés par la fonte des neiges et la pluie, plusieurs fleuves de l'Ouest prennent leur source dans les Rocheuses, dont le Colorado, la Platte du Nord, la Platte du Sud, la Snake River, l'Arkansas et le Rio Grande.

Sonnettes

~~SO~~NNETTES

~~L'~~Ouest abrite de ~~no~~mbreux serpents ~~à s~~onnettes ~~ven~~imeux. Le dos ~~à~~ diamant est ~~le p~~lus longue des ~~va~~nte espèces. Quand ~~il e~~st menacé, la peau ~~sèc~~he au bout de sa queue émet ~~un~~ bruit de crécelle pour prévenir ~~que~~ le reptile est prêt à l'attaque.

LE LYNX ROUX

Ce félin à la queue écourtée est capable de parcourir de longues distances. Avec ses membres allongés et ses larges pattes, c'est un prédateur redoutable.

UN PAYS DE CANYONS

Pendant des millions d'années, les hautes régions désertiques du plateau du Colorado furent entaillées par l'érosion du vent et des eaux. Il en est résulté un paysage de canyons dont les gorges spectaculaires atteignent 1 500 mètres de profondeur. Le plus gigantesque est le Grand Canyon de l'Arizona avec près de 350 kilomètres de long.

LA LONGÉVITÉ DU SAGUARO

Ce grand cactus aux bras comme des colonnes peut vivre deux cents ans. Le saguaro est typique de l'Arizona, qui a adopté ses fleurs blanches comme symbole de l'Etat. On l'appelle parfois cactus-tuyau d'orgue à cause de ses longues branches raides pouvant atteindre 4 ou 5 mètres. On le trouve dans le désert de Sonora qui s'étend du golfe de Californie jusqu'en Arizona vers le nord-est et jusqu'en Californie du Sud vers le nord-ouest.

L'ESPRIT DES INDIENS D'AMÉRIQUE

Les nations indigènes de l'Ouest américain traitaient la terre et tous ses habitants avec respect. Les animaux étaient chassés pour leur chair et leur peau qui fournissaient nourriture, vêtements et abri, moyens de subsistance essentiels des Indiens. Ces derniers pratiquaient diverses sortes de rituels destinés à entretenir de bonnes relations entre les hommes et la nature. Par exemple, leurs armes portaient des représentations de bison ou d'élan pour favoriser la chasse et les guerriers arboraient des plumes d'aigle, insignes de leur puissance. Les Indiens croyaient que certains rituels avaient le pouvoir de les préparer à communiquer avec le monde des esprits.

Plume d'aigle

SYMBOLES SACRÉS

Les peuples de la côte Nord-Ouest, comme les Tsimshians et les Haidas, sculptaient des représentations d'animaux ou de créatures mythiques sur des poteaux destinés à soutenir le toit des maisons ou à marquer l'emplacement des tombes. Appelées totems, ces sculptures appartenaient aux familles pour lesquelles elles avaient été réalisées.

L'oiseau-tonnerre avec ses plumes et son bec crochu

PROTECTION À LA GUERRE

Ce chef pied-noir – une puissante nation des Grandes Plaines – posa pour ce portrait en 1832 vêtu de sa grande tenue de guerrier. Sa tunique en peau de cerf est ornée d'un médaillon brodé.

Mèches de cheveux prises sur les ennemis tués au combat

Motif fait de piquants de porc-épic colorés

Totem funéraire

FUNÉRAILLES DANS LES PLAINES

Une Indienne crow pleure son époux dont le corps est exposé sur une plate-forme. Sur les poteaux sont accrochées les têtes de ses poneys favoris, censés l'accompagner dans l'au-delà.

Pipe de cérémonie longue de 1,50 mètre

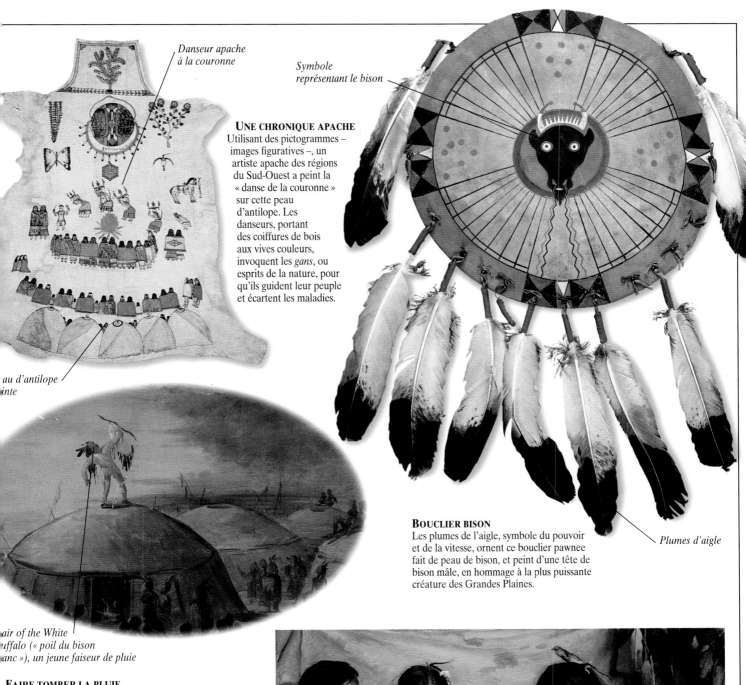

*Danseur apache
à la couronne*

*Symbole
représentant le bison*

UNE CHRONIQUE APACHE

Utilisant des pictogrammes – images figuratives –, un artiste apache des régions du Sud-Ouest a peint la « danse de la couronne » sur cette peau d'antilope. Les danseurs, portant des coiffures de bois aux vives couleurs, invoquent les *gans*, ou esprits de la nature, pour qu'ils guident leur peuple et écartent les maladies.

*...au d'antilope
...inte*

BOUCLIER BISON

Les plumes de l'aigle, symbole du pouvoir et de la vitesse, ornent ce bouclier pawnee fait de peau de bison, et peint d'une tête de bison mâle, en hommage à la plus puissante créature des Grandes Plaines.

Plumes d'aigle

*...air of the White
...uffalo (« poil du bison
...anc »), un jeune faiseur de pluie*

FAIRE TOMBER LA PLUIE

Sur cette peinture exécutée d'après nature au début du XIXᵉ siècle, un jeune Mandan se tient debout sur le toit d'une hutte dressée au bord du fleuve Missouri. Il implore la nature d'envoyer la pluie tant attendue. La coutume des Mandans voulait que les jeunes gens se relaient pour danser et chanter jusqu'à ce qu'il pleuve ou qu'ils soient trop épuisés pour continuer. Ici, leurs efforts ont été couronnés de succès : après que le faiseur de pluie eut tiré une flèche dans un nuage noir au-dessus de lui, la pluie est tombée à torrents.

FUMÉE PURIFIANTE

A la fin des années 1880, un artiste a représenté ces guerriers pieds-noirs, du sud-est du Montana, occupés à brûler des herbes odorantes. D'après leur croyance, la fumée les purifierait. Ils préparaient rituellement des sacs à médecine – assemblage de charmes magiques – comprenant des os, des graines, des herbes, des plumes, des porte-bonheur ainsi que des crins ou des cheveux. Ces charmes étaient purifiés par la fumée.

LA VIE QUOTIDIENNE DES INDIENS

Au début du XIXᵉ siècle, les peuples indigènes de l'Ouest étaient aussi différents les uns des autres que les vastes pays qu'ils habitaient. Certains étaient des cavaliers intrépides qui, penchés sur l'encolure de leur poney lancé au grand galop, décochaient des flèches redoutables, mais la plupart étaient des cultivateurs, des artisans et des pêcheurs. Les guerriers à cheval des plaines centrales razziaient fréquemment leurs voisins, tandis que les communautés pacifiques du Sud-Ouest étaient célèbres pour leur artisanat (poterie, tissage, bijoux). Les tribus nomades suivaient les troupeaux de bisons et édifiaient des habitats temporaires en peau, ou tipis. Les peuples de la côte Nord-Ouest édifiaient des maisons en bois et construisaient de longues embarcations pour la pêche à la baleine. D'autres nations se livraient au commerce, entrant régulièrement en contact avec les Visages pâles. Mais quel qu'ait été l'endroit où ils vivaient à cette époque, tous les Indiens d'Amérique allaient bientôt subir un changement radical de leur mode de vie avec l'arrivée d'un flot inattendu d'étrangers sur leurs terres.

Perches

Ouverture pour la fumé

Entrée

TIPI JOUET
Fabriqué pour un enfant de la tribu des Sioux lakotas, ce tipi miniature est la reproduction exacte d'un vrai. Les peaux sont disposées par-dessus de longues perches réunies au sommet. La fumée du foyer central s'échapp par une ouverture réglable grâce à un évent.

PEUPLES DES PLAINES

Les nations des Grandes Plaines, comme les Sioux, les Comanches et les Crows, suivaient les troupeaux de bisons. Ces Indiens élevaient des poneys solides et rapides pour la chasse et la guerre. Quand une famille décidait de se déplacer, elle démontait son tipi et le pliait pour le transporter jusqu'au prochain campement. En quelques heures, le tipi était de nouveau dressé. Les plus grands tipis dépassaient 7,50 mètres de diamètre et nécessitaient quatorze peaux de bison cousues ensemble pour recouvrir les perches.

Motif décoratif

SELLE POUR SIOUX
Les Indiens des Plaines étaient si bons cavaliers qu'ils semblaient ne faire qu'un avec leur monture. Entre le cheval et son cavalier, le harnachement était succinct, comme le montre cette selle légère de guerrier sioux avec ses sangles minces. Beaucoup d'Indiens montaient à cru, mais pour un long déplacement, une selle de peau rembourrée de crins de bison ou de cerf était plus confortable.

MÈRE ET ENFANT
Au cours de ses voyages à travers l'Ouest, George Catlin a peint cette jeune Indienne des Plaines, nommée Chee-Ah-Ka-Tchee, avec son bébé emmailloté dans un berceau aux couleurs vives brodé à l'aide de piquants de porc-épic.

Sangle

LE COUP FATAL
Pourchasser un bison sur le dos d'un cheval au galop demandait adresse et courage, comme on le voit sur cette représentation de chasseurs à la poursuite d'un troupeau. Un cavalier galope à côté de l'animal, s'apprêtant à lui plonger sa lance dans le flanc.

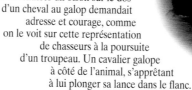

*Costume
cérémoniel
d'oiseau-
tonnerre*

MARIAGE

Un futur marié se rend en canoë à la rencontre de sa fiancée pour
la cérémonie de mariage, selon les rites des Kwakiutls qui vivent
sur la côte Nord-Ouest. Le personnage à la proue,
costumé en oiseau-tonnerre, portera bonheur
aux nouveaux époux.

PUEBLO CUIT AU SOLEIL

Les habitants hopis de ce village d'Arizona vivent
sur plusieurs niveaux accessibles par de longues
échelles. Ce pueblo, ainsi que l'on appelle les villages
faits de briques de boue cuites au soleil, était entouré
de terres cultivées. Nommé Walpi, il occupe
l'emplacement d'un village qui existait bien avant
l'arrivée des Européens au XVIᵉ siècle. C'est l'un des
plus anciens lieux habités d'Amérique du Nord ayant
connu une occupation
continue.

ROBE D'ENFANT

Voici une robe, destinée à un enfant de la
tribu des Crows, confectionnée avec soin.
Une femme, probablement de la famille,
peut-être sa mère, une grand-mère
ou une sœur aînée, l'a soigneusement
décorée de dents d'élan. Le peuple
des Crows vivait entre l'est
des Rocheuses
et le Missouri.

*Décoration
de dents d'élan*

LES EXPLORATEURS

En 1803, le gouvernement des États-Unis acheta à la France une vaste région à l'ouest du Mississippi appelée Louisiane et il envoya des explorateurs établir des cartes et se renseigner sur le pays. L'expédition, conduite par Meriwether Lewis et William Clark, voyagea deux ans dans l'Ouest et atteignit la côte Pacifique. Une Indienne shoshoni, Sacajawea, et son bébé les accompagnaient. Leur présence rassurait les tribus indigènes sur les intentions amicales des explorateurs. Beaucoup d'autres expéditions eurent lieu pendant les quatre-vingt-dix années qui suivirent, à la recherche des sources des fleuves, à travers le désert du Sud-Ouest et à la découverte de chaînes de montagnes. Cartographes, géomètres, savants, artistes et photographes y prirent part. Vers 1881-1884, à la tête de l'Institut géologique des États-Unis fraîchement créé, John Wesley Powell développa l'étude scientifique de l'Ouest, en particulier celle des ressources en eau de la région.

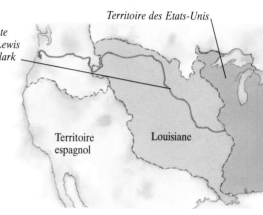

Route de Lewis et Clark

Territoire des Etats-Unis

Territoire espagnol

Louisiane

LA ROUTE DE L'OUEST
L'expédition de Lewis et Clark remonta le Missouri vers l'ouest jusqu'à ses source traversa les montagnes Rocheuses, puis atteignit l'endroit où le fleuve Columbia se jette dans le Pacifique.

Compas de Lewis et Clark

Lewis

Clark

LEWIS ET CLARK
Le président Thomas Jefferson mandata Lewis et Clark pour un voyage de 12 800 kilomètres à travers l'Ouest. Cette expédition à laquelle prirent part des trappeurs français, des chasseurs et interprètes métis et l'esclave noir de Clark, bénéficia de l'aide des tribus rencontrées.

MÉDAILLES DE PAIX
L'effigie du président Jefferson et les mots « Paix et Amitié » sont gravés sur cette médaille d'argent et de cuivre frappée en 1801 et offerte par Lewis et Clark aux chefs dont ils voulaient gagner la confiance.

FAROUCHES MAIS AMICALES
Cette représentation, très idéalisée, évoque les difficultés de communication avec des tribus inconnues, néanmoins désireuses de commercer avec les voyageurs.

TRIOMPHE DE FRÉMONT
En 1842, un timbre-poste fut émis en l'honneur de l'expédition de John Frémont qui explora et cartographia les montagnes Rocheuses. Quelques années plus tard, en 1846, Frémont dirigea une troupe de volontaires dans la lutte pour arracher la Californie au Mexique.

FALAISES SURPLOMBANT LE COURS SUPÉRIEUR DU COLORADO
Pendant son voyage avec une expédition géologique en 1871, l'artiste Thomas Moran (1837-1926) fut frappé par l'intensité des couleurs du soleil réfléchies sur les falaises du Colorado dans le Wyoming. L'œuvre de Moran contribua à convaincre le gouvernement de transformer de vastes portions du territoire de l'Ouest en parcs nationaux.

Lentille photographique réglable

Trépied pliant pour le transport

Soufflet de toile

UN PERCHOIR PÉRILLEUX
Pendant une expédition scientifique dans les années 1880, un photographe intrépide a installé son appareil au sommet de Glacier Point pour photographier les cascades de Yosemite en Californie. Les photographes ne reculaient devant rien pour prendre les clichés les plus spectaculaires.

APPAREIL PHOTO DE GÉOMÈTRE
Cet encombrant appareil de plus de 30 kilos muni de son trépied fut transporté à travers le Grand Canyon du Colorado pendant le voyage de Powell en 1872.

SAVANT ET LINGUISTE
John Wesley Powell (1834-1902), explorateur, géomètre et naturaliste, étudia les langues indiennes. Il parle ici avec le chef paiute Tau-Gu. Les Paiutes sont une tribu du Grand Bassin, qui comprend le Nevada et l'ouest de l'Utah ainsi qu'une partie de la Californie et de l'Oregon. Le lac Powell, lac artificiel situé dans cette région, fut nommé en l'honneur du savant.

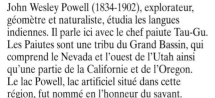

Viseur   *Réglage*   *Lentille*

Longue-vue d'explorateur

13

LA TRAVERSÉE DES APPALACHES

À la fin du XVIIe siècle, les forêts et les cours d'eau tumultueux situés au-delà des monts Appalaches attirèrent des milliers d'Américains qui se sentaient à l'étroit dans l'Est et le Sud-Est surpeuplés. La plupart étaient des fermiers désireux de s'installer sur ces riches terres. Sous la conduite de chasseurs expérimentés comme Daniel Boone, des centaines de familles commencèrent à se frayer un chemin dans les Appalaches, vers le pays appelé Kentucky. Pour parvenir jusque-là, les pionniers défrichèrent la Route sauvage qui serpentait à travers le défilé de Cumberland, un étroit passage dans la montagne. Ce filet d'émigrants se dirigeant vers l'Ouest devint bientôt un fleuve. Entre 1775 et 1800, plus de trois cent mille pionniers arrivèrent au Kentucky. Là, ils érigèrent des forts pour se défendre des incursions des Indiens, mécontents d'être dérangés et chassés par les nouveaux arrivants. Les colons se construisirent de robustes cabanes en rondins avec des meurtrières et des portes épaisses. Puis leurs établissements du Kentucky et du Tennessee voisin devinrent le point de départ de la vague de migration suivante vers l'Ouest.

LE SENTIER DE LA GUERRE
Les Indiens se déplaçaient rapidement en suivant d'anciennes pistes de chasse ou des sentiers de guerre, tel celui-ci, dans les monts Alleghanys. Des sentiers forestiers reliaient les villages indiens disséminés et les colonies de fermiers blancs de l'Est et du Sud.

DANS LES CONTRÉES SAUVAGES
En 1773, Daniel Boone (1734-1820) conduisit des pionniers vers le Kentucky par le défilé de Cumberland. Les Cherokees passèrent à l'attaque et repoussèrent Boone et sa troupe. Il revint deux ans plus tard, avec les colons, cette fois pour s'installer.

ÉDIFIER UNE CABANE

Amis et voisins de la Frontière se rassemblaient pour aider à bâtir les maisons qui servaient aussi de petits forts. Confortable et solide, la maison de rondins, faite de troncs de sapins ou de pins, était l'habitat le plus répandu chez les pionniers qui traversaient les Appalaches.

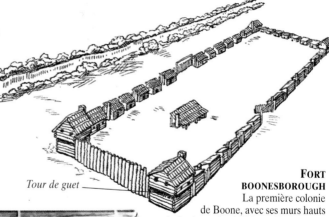

Tour de guet

FORT BOONESBOROUGH

La première colonie de Boone, avec ses murs hauts de 3 mètres, fut édifiée en 1775 près du fleuve Kentucky, sur des terres achetées à un chef cherokee. Cependant, toutes les tribus ne reconnaissaient pas cette transaction et Boonesborough fut souvent en danger à cause d'autres Cherokees ou des Shawnees.

Long canon

LE LONG FUSIL

Les chasseurs blancs portaient des fusils tels que celui-ci, qui a appartenu à Daniel Boone. Appelés longs fusils, car dotés d'un canon de 46 pouces (environ 117 centimètres), ils étaient extrêmement précis. Les meilleurs étaient fabriqués en Pennsylvanie mais on les désignait néanmoins sous le nom de fusils du Kentucky car ils avaient la faveur des pionniers de cette région.

Initiales de Boone

Peintures cérémonielles

UN GUERRIER SHAWNEE

Aucune nation ne combattit avec plus de vigueur l'installation des Blancs que les Shawnees de la haute vallée de l'Ohio. Ils restèrent invaincus jusqu'en 1825. Ce portrait d'un Shawnee, nommé Payta Kootha, illustre la façon dont le guerrier se peignait le visage tout en arborant des vêtements d'un style raffiné.

Pendants d'oreilles

ARC ET FLÈCHES SHAWNEES

Après 1750, les chasseurs et les guerriers indiens n'employèrent l'arc et les flèches que lorsqu'ils ne pouvaient se procurer ni fusil ni munitions. Bien que la plupart des Indiens fussent indépendants, ils commencèrent à commercer avec les Visages pâles.

GUERRE ET PESTE !

Les amateurs de sensationnel étaient sûrs de trouver des journaux relatant les dernières attaques d'Indiens ou autres fléaux. Les nouvelles redoutées du choléra frappant les cités et des attaques indiennes contre les colonies de la Frontière faisaient frissonner d'horreur les communautés de l'Est, où les journaux se vendaient le mieux.

LA LÉGENDE DE BOONE

Les images de la guerre sur la Frontière montraient généralement les Blancs comme des héros et les Indiens comme les méchants. En fait, chacune des deux communautés commit des actes d'héroïsme et de cruauté. Daniel Boone est représenté ici en train de sauver une femme et un enfant des mains d'un guerrier menaçant. Il fut le héros le plus célèbre de la Frontière à la fin du XVIIIe siècle.

Enceinte du fort Dearborn

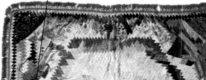

UNE FORTERESSE CAPITONNÉE

Le patchwork était l'un des passe-temps favoris des femmes de la Frontière. Celles-ci cousirent ce « Grand Quilt » au début du XIXe siècle. On y voit le plan du fort Dearborn sur la rive du lac Michigan. Théâtre d'un massacre d'Américains et de leurs alliés indiens pendant la guerre de 1812, Fort Dearborn devint plus tard la ville de Chicago.

PLUS LOIN VERS L'OUEST

Les « cinq tribus civilisées » du Sud – Cherokees, Séminoles, Choctaws, Creeks et Chickasaws – possédaient des maisons dans des villages dotés d'une école tenue par des missionnaires. Les Cherokees publiaient un journal utilisant leur propre alphabet, inventé par l'érudit Sequoyah. Ces peuples désiraient la paix. Mais les Blancs, avides de terres, envahirent leur pays et la guerre éclata. L'une des pires batailles eut lieu en 1814 à Horseshoe Bend, en Alabama. L'armée du général Andrew Jackson massacra plus de huit cents Creeks, hommes, femmes et enfants. Les Cherokees, de leur côté, en appelèrent en 1831 à la Cour suprême pour qu'on les laisse en paix. La Cour soutint leur requête, mais pas le gouvernement fédéral, ni le Congrès, ni le président Andrew Jackson. La loi prévoyant la déportation des Indiens, édictée par le gouvernement en 1830, relégua la plupart de ces tribus dans les Territoires indiens au-delà du Mississippi. Beaucoup moururent en route sur ce que l'on nomma la Piste des larmes. Les Séminoles de Floride, sous la conduite du chef Osceola, menèrent la plus longue des guerres indiennes, qui dura jusqu'en 1847.

ORNEMENT DE PLUM
Ce bâton de danse orné d'aigret
de plumes servait dans les cérémon
traditionnelles des Cheroke

VERS LA RÉSERVE

La politique de déplacement des peuples indigènes hors de leur sol natal nécessitait la cession de nouvelles terres qui leur soient destinées – ou « réservées ». En 1820, une réserve, appelée Territoire indien, fut fondée à l'ouest du Mississippi. En 1885, quelque cinquante tribus avaient émigré vers la région appelée Oklahoma, un terme choctaw qui signifie « hommes rouges ».

Carte : Sioux, Chippewa et Ottawa, Sauk et Fox, Miami, Wyandot, Shawnee, Territoire indien, Piste des larmes, Chickasaw, Choctaw, Creek, Cherokee, Séminole

UN LINGUISTE CHEROKEE
Sequoyah (v. 1770-1843) était un orfèvre cherokee, fils d'un marchand originaire de Virginie et d'une Indienne. Bien que n'étant jamais allé à l'école, il inventa une écriture cherokee avec quatre-vingt-six caractères syllabiques représentant les sons du langage parlé. En 1828, une presse fut mise en place su laquelle on imprima le journal *Cherokee Phoeni*

LA PISTE DES LARMES
Forcés à migrer vers l'Ouest, les Cherokees étaient escortés par des soldats au cours d'un pénible et triste voyage en 1838-1839 qu'ils appelèrent la Piste des larmes. Sur les quinze mille Cherokees ayant quitté leur patrie, quatre mille périrent en chemin. Il en fut de même des autres tribus ; sur un groupe de mille Choctaws, seuls quatre-vingt-huit survécurent au voyage.

OSCEOLA (v. 1800-1838)
Fils d'un Anglais et d'une Indienne creek, il participa au mouvement de résistance des Séminoles. En 1837, il fut capturé par traîtrise et mourut le 31 janvier 1838 à Fort Moultrie, Caroline du Sud. « Séminole » est un nom dérivé de l'espagnol et qui signifie « homme de la frontière ».

umes
utruche

Lunules d'argent suspendues autour du cou

Guêtres à boutons

LES GUERRES SÉMINOLES
À la fin du XVIIIe siècle, les Séminoles de Floride vivaient aux côtés d'anciens esclaves noirs évadés des plantations. Quand le gouvernement leur ordonna de se rendre dans une réserve, ils résistèrent farouchement, livrant deux guerres entre 1816 et 1847. Finalement submergés par le nombre, beaucoup de Séminoles se réfugièrent dans les régions marécageuses, refusant d'être déplacés.

INVASION ET MASSACRE
Après l'invasion de la Floride par les troupes américaines en 1817, une guerre sans merci fit rage pendant plus de trente ans. Il y eut des victoires et des défaites des deux côtés, y compris le massacre de colons blancs représenté ci-dessus.

BATAILLE DU LAC OKEECHOBEE
La plupart des combats pendant les guerres séminoles étaient des escarmouches et des embuscades, mais en 1837, l'affrontement sur la rive du lac Okeechobee opposa mille soldats à cinq cents Séminoles. Commandée par le futur président Zachary Taylor, l'armée vainquit les Indiens près du fort militaire visible sur la peinture ci-dessus.

Motifs en patchwork

ongues anches

ART SÉMINOLE
Les poupées traditionnelles séminoles, en fibre de palmier, étaient fabriquées bien avant l'arrivée des Blancs en Amérique. Elles furent souvent utilisées pour commercer. Celle-ci est vêtue d'une blouse d'homme, sorte de vaste chemise peu ajustée à longues manches, protégeant de la chaleur. Elle est décorée d'un patchwork coloré.

MAISON DES EVERGLADES
Offrant son ombre dans la chaleur estivale de Floride et capable de supporter les fortes pluies, la maison séminole avait un toit de chaume et pas de murs. Une plate-forme était aménagée à l'intérieur. Appelées *chikees*, ces demeures abritaient généralement une famille, mais parfois elles étaient édifiées sans plate-forme autour d'un foyer commun. Les *chikees* s'adaptèrent bien aux marais brumeux des Everglades, où vivent encore maintenant beaucoup de Séminoles.

TRAPPEURS ET HOMMES DES MONTAGNES

Surnommés les « jeunes hommes tenaces », les trappeurs des montagnes Rocheuses ne connaissaient d'autres maîtres qu'eux-mêmes. Posant des pièges à castors dans les cours d'eau glacés, ils partageaient la vie des communautés indiennes. Ils affrontaient la mort du fait du mauvais temps, ou de leurs farouches ennemis indiens, ou de leur implication dans une bagarre d'ivrognes, ou lors d'une rencontre avec un grizzli. Au « rendez-vous » d'été, ils vendaient leurs peaux de castor, faisaient courir des chevaux, se bagarraient, buvaient et dansaient toute la nuit. Les coureurs des bois – dont Jim Bridger, Jim Beckwourth et Jedediah Smith – furent les meilleurs éclaireurs et guides pour aller vers l'Ouest. Ils ouvrirent la route aux soldats, aux missionnaires et, enfin, aux convois de chariots des colons. Quand la civilisation s'imposa, les hommes des montagnes épris de liberté disparurent, comme les tribus indiennes indépendantes. En effet, le gibier, au fondement de leur mode de vie, se raréfia.

VERS L'OUEST PAR LES « CHEMINS D'EAU
Pierre-Esprit de Radisson et son beau-frère Médard Chouart des Groseilliers, deux coure des bois canadiens français, explorèrent la hau vallée du Mississipi en 1654 et 1660 et rapportèrent des fourrures à Montréal. En 1662, ils atteignirent la baie d'Hudson.

ÉCLAIREUR DE LA FRONTIÈRE
Le trafiquant de fourrures et explorateur Jedediah Smith (1799-1831) survécut aux batailles contre les Indiens, manqua mourir de soif pendant une expédition à travers le désert Mohave en Californie (ci-dessus), et fut blessé par un grizzli. Il découvrit d'importantes routes pour les chariots allant vers l'Oregon et la Californie avant d'être tué dans un combat contre les Comanches dans le Sud-Ouest.

JIM BECKWOURTH (1800-1866)
Le trappeur Jim Beckwourth fut un grand trafiquant de fourrures, « chasseur » d'Indiens, porteur de courrier, muletier et guide pour les convois de chariots et la cavalerie. Beckwourth était fils d'un Blanc et d'une esclave mulâtresse (fille de Blanc et de Noir). De 1828 à 1837, il vécut dans une tribu d'Indiens crows.

BONNET DE TRAPPEUR EN LOUTRE
Les Blancs de la Frontière empruntèrent aux Indiens vêtements et accessoires, comme cette toque en loutre ayant appartenu à un trappeur.

Plume de dinde

CORNES À POUDRE
Les cornes évidées contenant la poudre à fusil étaient solidement fermées et suspendues par une courroie à l'épaule du trappeur.

Médaillon de perles multicolores à la mode des Crows

UN « RENDEZ-VOUS » TUMULTUEUX
Tous les étés, trappeurs, commerçants et Indiens se retrouvaient à des « rendez-vous » tels que celui-ci, près de la Platte River. Là, ils échangeaient leurs fourrures contre des biens de consommation et faisaient la fête, assistant aux courses de chevaux, pariant, festoyant et buvant ; après quoi les hommes des montagnes retournaient à leurs activités, souvent sans un sou en poche.

A PROIE DES TRAPPEURS
nimal à fourrure le plus
andu était le castor,
nt le doux pelage était
sé par les chapeliers
Amérique et d'Europe ;
1800 à 1850, on tua
qu'à cinq cent mille
stors par an
ur leur peau.

PREMIER PARMI LES HOMMES DES MONTAGNES
Beaucoup d'explorateurs de l'Ouest, d'écrivains et de militaires firent l'éloge de Jim Bridger (1804-1881) pour ses talents de trappeur, de guide pour les convois et d'éclaireur. Sa connaissance de la géographie de la région lui valut le surnom d'« atlas de l'Ouest ».

chaîne attachée
ssort retient
iège.

Le plateau porte l'appât et, enfoncé, déclenche les mâchoires d'acier.

MÂCHOIRES D'ACIER
Lorsqu'un castor marchait sur ce piège, les mâchoires se refermaient et retenaient l'animal prisonnier jusqu'à ce que le trappeur arrive pour l'achever et le dépecer.

RÉCIEUSES MONNAIES ÉCHANGE
es trafiquants de fourrures
fraient aux indigènes des
ojets manufacturés comme
tte hache d'avant 1850,
à échange de fourrures et
e peaux de bison. De bonnes
lations avec les tribus étaient
sentielles si le trafiquant
ulait faire de bonnes
faires et rester en vie.

COUTEAU DE CHASSE
es hommes des
montagnes utilisaient
e grands couteaux
e boucher pour
ésosser la
iande de gibier
t prélever
es peaux
fourrures.

LA VIE SUR LE FLEUVE

Avant la construction du chemin de fer, les fleuves étaient les voies de communication principales pour aller et venir dans les vastes étendues de l'Ouest. Le plus grand affluent occidental du Mississippi est le Missouri qui arrose les Grandes Plaines et les montagnes Rocheuses. La Snake River et le fleuve Columbia coulent vers le Nord-Ouest, tandis que le Colorado, l'Arkansas et le Rio Grande sont les principaux cours d'eau du Sud-Ouest. Les premiers explorateurs empruntèrent ces rivières dans des canoës rapides. Plus tard, des bateaux à quille à proue carrée y transportèrent les fourrures et les marchandises. Au milieu du XIXe siècle, les rivières de l'Ouest étaient encombrées de steamers, vapeurs à roues à aubes, chargés de matières premières (charbon, minerai de fer), de céréales, de bétail et de fruits. Les élégants steamers pour passagers étaient les rois du fleuve. Ils offraient des cabines luxueuses et des dîners fins ainsi que des salons de jeu. La réputation de vitesse d'un steamer était un atout majeur, aussi certains capitaines n'hésitaient-ils pas à engager la course avec d'autres bateaux.

COURIR POUR LA GLOIRE
« Champions du Mississippi », une lithographie de Currier et Ives, représente deux steamers rapides faisant la course sur le Mississippi. La vitesse leur valait aussi bien l'estime du public qu'un surcroît de clients fiers de monter à bord. Mais les courses l'eau aboutissaient parfois à des collisions ou à une dangereuse surchauffe des chaud qui finissaient par exploser, tuant passagers et équipages et coulant les bateaux.

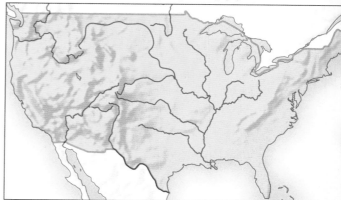

LES GRANDS FLEUVES DE L'OUEST
Le Mississippi et son affluent principal le Missouri arrosent la majeure partie de l'O américain. Les autres fleuves importants comprennent le Rio Grande et le Colorad dans le Sud-Ouest, la Snake River et le fleuve Columbia dans le Nord-Ouest.

ATTAQUE D'INDIENS
Les canoës, les barges à fond plat et les bateaux à quille étaient nombreux sur les fleuves de l'Ouest. Les barges, conçues pour les transports de marchandises, pouvaient s'aventurer en eau peu profonde. Les bateaux à quille possédaient des voiles et étaient plus rapides, mais nécessitaient plus de profondeur. Les canoës étaient maniables mais ne pouvaient transporter de grosses cargaisons. Les Indiens attaquaient parfois les barges, comme en témoigne cet incident sur le Missouri (ci-dessus).

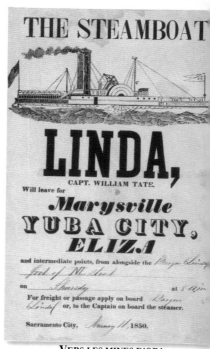

VERS LES MINES D'OR !
En 1850, le vapeur *Linda* fait sa publicité pour la desserte des villes minières de Marysville, Yuba City et Eliza en Californie.

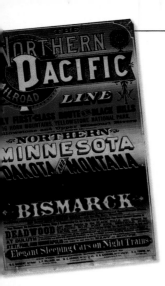

CERISES SAUVÉES

Ces cerises à l'eau-de-vie se trouvaient à bord du steamer *Bertrand*, qui reliait Saint Louis au Montana par le Missouri. Le *Bertrand* s'échoua et sombra dans l'Iowa, emportant les fruits avec lui. Des années plus tard, les cerises furent repêchées et conservées comme souvenirs des voyages en steamer.

« ROSEBUD »

Ce steamer sur le Missouri, qui devait son nom à une rivière du Dakota, transporta soldats et ravitaillement pendant les guerres indiennes des années 1870. Cette photographie date de 1878. Le *Rosebud* assurait habituellement le trafic entre Bismarck, dans le Dakota du Nord, et Coalbanks, dans le Montana, terminus de la navigation.

VOYAGE EN PREMIÈRE CLASSE

Un panneau publicitaire annonce la desserte de l'Ouest par vapeur et par diligence à travers le nord du Minnesota, le Dakota et le Montana. La ligne de chemin de fer du Pacifique Nord, la Northern Pacific Railroad Line, prenait aussi des passagers sur une partie du trajet.

LES JEUX À BORD

Les trajets sur le fleuve devinrent de confortables – et même luxueux – voyages d'agrément et les joueurs professionnels firent leur apparition dans les salons des navires, prêts à rafler la mise des amateurs trop naïfs. Pour se joindre à la partie, les joueurs achetaient des jetons valant jusqu'à 100 dollars. Des fortunes se gagnaient et se perdaient sur un coup de dés, comme ceux-ci, tenus par des chiens de bronze.

Cheminée

Mât de drapeau

Roue à aubes latérale

BATEAU À ROUES DU MISSISSIPPI

Cette maquette du vapeur *J. M. White* montre les cheminées, les ponts des passagers et la propulsion par roues à aubes latérales fréquente sur les bateaux des fleuves. Les élégants équipements du *J. M. White* représentaient ce qui se faisait de mieux sur les eaux de l'Ouest. Le navire était l'un des plus puissants de son époque. Sa construction, en 1878, avait coûté la somme fabuleuse de 200 000 dollars, mais le développement rapide des voies ferrées le priva bientôt de sa clientèle. Il fut détruit par un incendie en 1886.

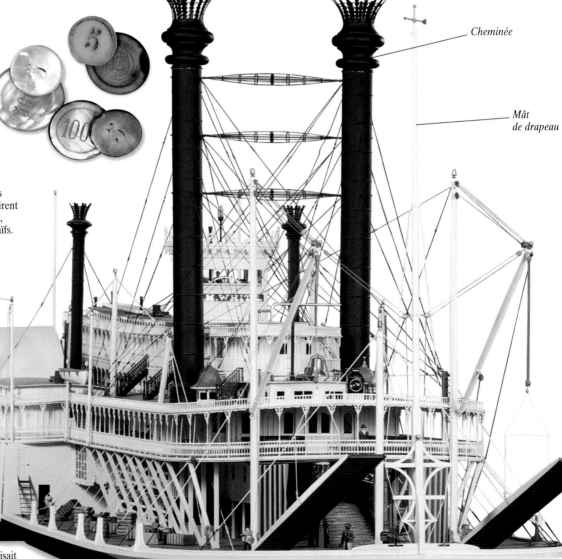

L'OUEST ESPAGNOL

Durant le XVIe siècle, des explorations espagnoles – comme celles d'Alvar Núñez Cabeza de Vaca (1528-1536) ou de Francisco Vasquez de Coronado (1540-1542) – parcoururent des milliers de kilomètres à travers le grand Sud-Ouest, à la recherche des légendaires cités de l'or, l'Eldorado. Leurs investigations ouvrirent la voie à la couronne d'Espagne qui s'efforça d'assujettir les indigènes pour asseoir sa domination sur le territoire. Les prêtres catholiques installèrent bientôt leurs missions au milieu des tribus indiennes. Les cultures et les religions indigènes et espagnole se mêlèrent pour former une nouvelle civilisation. Le Mexique devint indépendant de l'Espagne en 1821. À cette époque, les colons fondaient des ranchos et des comptoirs dans le Sud-Ouest, avec Santa Fe comme principal pôle commercial. Le Texas et la Californie étaient si éloignés des autorités gouvernementales de Mexico qu'ils bénéficiaient d'une semi-indépendance.

BARTOLOMÉ DE LAS CASAS
Le moine dominicain Bartolom[é] de Las Casas (1474-1566) consa[cra] sa vie à empêcher que les peupl[es] indigènes de l'empire espagnol soient réduits en esclavage. A la place, on fit venir les esclav[es] d'Afrique, ce que Las Casas déplorait.

UNE ÉPÉE DE CONQUISTADOR
Jusqu'au XVIIIe siècle, l'influence espagnole, ses explorations et son commerce concernaient une vaste région incluant une partie de la côte Sud-Ouest. Le style de cette épée de cérémonie trouvée en Géorgie est celui des armes portées par les conquistadores, nom donné aux soldats espagnols de cette époque.

À LA RECHERCHE DES CITÉS DE L'OR
En 1540, le gouverneur Francisco de Coronado (1510-1554) quitta le Mexique à la tête d'une expédition pour gagner l'actuel Nouveau-Mexique. Il emmena avec lui trois cents soldats et missionnaires et huit cents Indiens à la recherche des légendaires Sept Cités d'Or. Au bout de deux ans, il n'avait trouvé aucun trésor mais son exploration jusqu'au Kansas avait posé les bases de l'extension espagnole dans la région.

UNE ANCIENNE MISSION
Faisant suite à l'œuvre des missionnaires du XVIIe siècle, la mission Concepción fut construite au milieu du XVIIIe siècle au bord de la rivière San Antonio au Texas. Elle fut édifiée près d'une communauté indigène de façon que les Indiens puissent être instruits dans la foi catholique. C'est un exemple classique de l'architecture coloniale espagnole.

OMBRE ÉLÉGANTE
Les chapeaux de feutre mexicains à large bord s'appellent des sombreros, de l'espagnol *sombra*, qui signifie « ombre ». Magnifiquement brodé d'or, celui-ci possède une coiffe très haute en forme de pain de sucre.

LA VIE DANS L'OUEST ESPAGNOL

Les cultures du Nouveau Monde et de la Vieille Espagne se mêlèrent et prospérèrent dans le Sud-Ouest et en Californie. Marchandises et produits de l'artisanat, nourriture, vêtements, outils et agriculture, tout reflétait la combinaison des influences espagnole et indigène. La religion catholique était également florissante et constituait un élément essentiel de la vie de tous les jours. L'un des apports les plus remarquables de l'Espagne aux régions de l'Ouest fut l'introduction du cheval, bientôt adopté par de nombreuses nations indiennes.

LA FIERTÉ DE L'HACIENDA
L'amour des Mexicains pour les chevaux de prix se lit à la splendide selle et au tapis équipant la monture qui attend devant cette hacienda (exploitation agricole).

SOLDAT EN VESTE DE CUIR
Les soldats espagnols, qui portaient d'épaisses vestes de cuir, ou *cueras*, étaient appelés *soldadas de cuera*, c'est-à-dire « soldats en veste de cuir ». Ces troupes, qui comptaient d'excellents cavaliers, occupaient des avant-postes à travers tout le Sud-Ouest et la Californie.

La cuera (*« veste de cuir »*)

Las botas (*guêtres en cuir de vache*)

COFFRE DU NOUVEAU-MEXIQUE
Des rosettes et des grenades sculptées ornent ce coffre de bois fabriqué dans le nord du Nouveau-Mexique vers 1800. Il servait à ranger le linge, les vêtements, les outils ou les objets précieux. Les colons espagnols arrivèrent au Nouveau-Mexique à partir de 1695, s'installant le long des affluents du Rio Grande.

Le motif associe les styles indigène et espagnol.

Poncho de laine, couverture servant de manteau en Amérique espagnole

Barreaux de bois

Solides roues en bois

Timon

ROBUSTES CHARRETTES
Du fait de son équanimité, le bœuf était l'animal de trait le plus attelé dans la majeure partie du Sud-Ouest espagnol à ces charrettes à roues de bois, qui étaient les véhicules les plus courants. Elles nécessitaient une paire de bœufs ; le conducteur marchait à côté en faisant claquer un fouet pour diriger ses bêtes.

DRAPEAU MEXICAIN
Le drapeau du Mexique fut créé en 1823 après que le pays eut gagné son indépendance sur l'Espagne. La couleur verte représente l'espoir et la fertilité, le blanc la pureté et le rouge le sang des patriotes. L'aigle, le serpent et le nopal (cactus) sont des symboles aztèques.

PLEURER LES MORTS
La foi catholique faisait partie de la vie quotidienne – de la naissance à la mort – de presque tout le monde dans le Sud-Ouest. Accompagnée par le prêtre et les enfants de chœur (au centre), une procession funéraire parcourt lentement les rues de San Antonio, au Texas, au début du XIXe siècle.

LA LUTTE POUR LE SUD-OUEST

Dès 1820, des Américains s'installaient au Texas, avec l'autorisation du gouvernement mexicain. En 1835, ils étaient vingt-cinq mille. Comme beaucoup d'habitants hispanophones du Texas, ils voulaient l'indépendance par rapport au Mexique qui interdisait l'esclavage. Ils se regroupèrent, se donnant le nom de « Texans », et se révoltèrent contre le Mexique. La guerre éclata en 1835. Le général mexicain Santa Anna gagna les premières batailles. En 1836, ses troupes massacrèrent les défenseurs d'une mission fortifiée à San Antonio, connue sous le nom de Fort Alamo. Peu après, Santa Anna fut vaincu par les Texans sous la conduite de Stephen F. Austin et de Sam Houston. Le Texas rejoignit les États-Unis en 1845, mais le Mexique s'y opposa, déclenchant la guerre américano-mexicaine (1846-1848). Les Américains l'emportèrent un an et demi plus tard, obligeant le Mexique à leur céder un vaste territoire qui s'étendait jusqu'au Pacifique.

SAM HOUSTON (1793-1863)
Juriste et ancien soldat, Houston était député du Tennessee avant d'arriver au Texas dans les années 1830. Pendant la révolte contre le Mexique, il fut commandant en chef de l'armée du Texas. En 1836, il fut élu premier président de la République du Texas.

Manivelle pour actionner les cylindres — *Grille métallique*

TRIEUSE À COTON
La trieuse à coton, inventée en 1793 pour séparer les graines des fibres, rendit la production du coton extrêmement rentable. A la fin des années 1820, les plantations des colons américains de l'est du Texas utilisaient des esclaves pour récolter le coton, bien que l'esclavage fût officiellement banni par le gouvernement mexicain.

Les brosses métalliques entraînent les fibres de coton.

Des disques en dents de scie poussent le coton à travers la grille.

LE DRAPEAU À L'ÉTOILE SOLITAIRE
Ce drapeau fut adopté en 1839 par la jeune République du Texas qui fut surnommée « la République de l'étoile solitaire ».

LE COUTEAU DE BOWIE
Création de l'aventurier texan James Bowie, ce poignard était fait pour se battre. Sa lame de 38 centimètres de long et sa garde de cuivre permettaient à son utilisateur de parer un coup ou de frapper. James Bowie trouva la mort à la bataille de Fort Alamo.

FORT ALAMO
Refuge de cent quatre-vingt-sept rebelles « texans » en février 1836, cette mission fortifiée de San Antonio fut prise d'assaut par une armée mexicaine qui balaya ses défenseurs. C'est au cri de guerre de « Souvenez-vous d'Alamo ! » que les Texans gagnèrent leur indépendance un peu plus tard.

DAVY CROCKETT (1786-1836)
Né dans le Tennessee, Crockett devint un homme politique local, puis un membre du Congrès. Battu lors de sa tentative de réélection, il partit au Texas où il mourut à la bataille de Fort Alamo en 1836. Des légendes se répandirent sur son compte et il devint, après sa mort, un héros populaire.

LA BATAILLE AVANT LA GUERRE

Le général Zachary Taylor s'opposa aux forces mexicaines à Palo Alto, au Texas, le 25 avril 1846, sur un territoire contesté, ce qui déclencha la guerre entre les Etats-Unis et le Mexique. Taylor remporta une victoire déterminante à Buena Vista, au Mexique, en février 1847.

L'ENTRÉE À MEXICO

En septembre 1847, les troupes américaines commandées par le général Winfield Scott défilèrent triomphalement sur la place centrale de Mexico investie. Pour la première fois, le drapeau des Etats-Unis flottait au-dessus d'une capitale étrangère. En février 1848, le traité de Guadalupe Hidalgo vendait le Sud-Ouest et la Californie aux Etats-Unis.

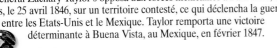

Garde

Décor gravé

GAGNER LA CALIFORNIE

Symbole d'une république indépendante, le Bear Flag (« drapeau à l'ours ») était porté par les aventuriers américains qui aidèrent l'armée des États-Unis à s'emparer de la Californie en 1846. Ils étaient commandés par le lieutenant John C. Frémont, chef des géomètres chargés de cartographier le territoire de l'Oregon. Les Américains affrontèrent non seulement les troupes mexicaines mais aussi les volontaires californiens qui menèrent contre eux une brève et violente guérilla.

Le drapeau
de la République de Californie

LA GUÉRILLA CALIFORNIENNE

En septembre 1846, les Californiens se révoltèrent contre les troupes d'occupation américaines. Le 6 décembre, les cavaliers californiens, armés seulement de longues lances, remportèrent à San Pascual, près de San Diego, la seule victoire mexicaine de la guerre. Ils furent forcés de se rendre en janvier 1847.

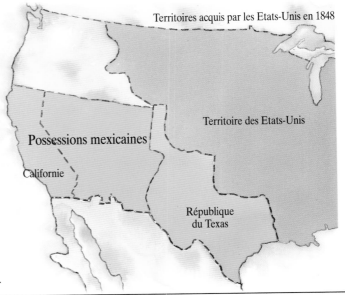

Territoires acquis par les Etats-Unis en 1848

Possessions mexicaines

Californie

Territoire des Etats-Unis

République
du Texas

Fourreau

LES HONNEURS DE LA VICTOIRE

Cette épée et son fourreau furent offerts par le peuple de Louisiane au général Winfield Scott pour son action pendant la guerre américano-mexicaine. Scott commanda avec succès l'armée américaine pendant l'invasion du Mexique en 1847.

FRÉMONT ENTRANT À MONTEREY

En juillet 1846, l'explorateur John Frémont, à la tête de cent soixante Américains, entra dans Monterey (Californie), où il rejoignit les forces des Etats-Unis qui avaient pris la ville.

LES CHERCHEURS D'OR

En 1848, la nouvelle de la découverte d'or, en Californie, au pied de la Sierra Nevada, se répandit comme une traînée de poudre. De nombreux Américains furent saisis par la « fièvre de l'or » et en moins d'un an des milliers d'aventuriers pleins d'espoirs fous partirent pour la côte Ouest par voie terrestre ou par bateau. Appelés les « 49 », les prospecteurs arrivés en 1849 furent rejoints pendant les dix années qui suivirent par deux cent soixante mille autres chercheurs d'or venus de nombreux pays, y compris de Chine, du Pérou et d'Australie. Certains découvrirent de l'or en pépites, en paillettes ou en poussière, mais la plupart abandonnèrent, ruinés. Le prospecteur indépendant fut bientôt remplacé par des ouvriers employés par des compagnies dans des puits de mine, comme à Comstock dans le Nevada. Nombre de ces nouveaux venus fondèrent des familles et bâtirent des maisons qui perdurèrent longtemps après que la « fièvre de l'or » fut retombée.

LA RUÉE COMMENÇA ICI
En 1848, la nouvelle que l'on avait découvert de l'or à la scierie de John Sutter sur l'American River fit le tour du monde, attirant des milliers de chercheurs d'or vers la Californie et l'Ouest.

COMMENT S'Y RENDRE ?
Après 1850, les guides de l'Ouest étaient populaires car les prospecteurs étaient avides de bons conseils sur la manière d'atteindre la Californie.

Batée pour laver
les sables aurifères

Pic de mineur

LAVER LE RUISSEAU À GRANDE EAU
Des « 49 » dans la Sierra Nevada en Californie pellettent la boue d'un cours d'eau dans un canal de bois où l'eau courante entraîne les particules légères, laissant l'or au fond.

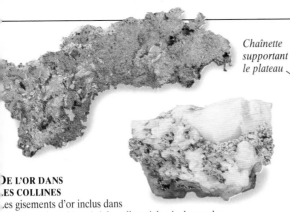

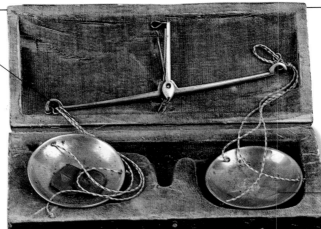

DE L'OR DANS LES COLLINES

Les gisements d'or inclus dans la roche étaient dégagés à la pelle et à la pioche par les prospecteurs. Plus tard, les compagnies minières eurent recours aux jets d'eau sous pression pour dégager l'or à flanc de colline.

Chaînette supportant le plateau

SON PESANT D'OR

Le travail de la journée était évalué sur une balance, que l'on transportait dans son étui protecteur ; un poids de masse connue était déposé dans l'un des plateaux puis l'or était ajouté dans l'autre plateau jusqu'à l'équilibre, indiquant le poids du métal précieux.

Plateau

Etui de transport

LES ALLUVIONS À LEURS PIEDS

Des hommes de toutes nationalités travaillaient côte à côte sur les terrains aurifères. En 1852, à Auburn Ravine, en Californie, ces Américains et ces Chinois construisirent leur canal sur des bancs de gravier appelés *placers* – des endroits favorables pour trouver des pépites et de la poussière d'or.

VOIR L'ÉLÉPHANT

« On ne peut pas prétendre être allé au cirque tant que l'on n'a pas vu l'éléphant », dit un vieux dicton américain. De même, si un « 49 » trouvait de l'or en Californie, il pouvait dire qu'il avait « vu l'éléphant », comme les prospecteurs sur cette lithographie de 1853.

FRISQUET, HUMIDE ET LONGUET

Vers 1878, ces chercheurs d'or du Dakota rincent le limon à la batée jusqu'à ce que les particules d'or, plus lourdes, tombent au fond du récipient. Ce travail requérait une santé robuste et beaucoup de patience, car l'eau des ruisseaux était glaciale et le procédé fastidieux.

LAMPE DE MINEUR

Des lanternes de fer ou de cuivre éclairaient les galeries de mines qui s'enfonçaient sous les collines ; dans certaines brûlait de l'huile de baleine tandis que d'autres, comme celle-ci, fonctionnaient avec des chandelles.

MINES D'ARGENT

Les compagnies minières firent creuser de profonds complexes, comme la mine d'argent de Virginia City, dans le Nevada, vue ici en coupe ; en bas, les usines où le minerai était affiné pour en extraire l'argent.

EN ROUTE VERS L'OUEST

Au milieu du XIXe siècle, la plupart des trajets par voie de terre s'effectuaient au pas d'un attelage de bœufs tirant un lourd chariot, dans un convoi long de plusieurs kilomètres. Il fallait presque un an pour atteindre le Far West et la réussite du voyage dépendait de la qualité de sa préparation et de l'équipement. Beaucoup d'émigrants mouraient en route, beaucoup plus encore s'arrêtaient sur des terres qui leur convenaient. Les chemins tracés par les convois étaient jalonnés d'objets abandonnés du fait de la perte d'un animal de trait ou du bris d'un chariot. À la fin des années 1840, l'espoir d'une liberté religieuse incita des milliers de mormons à s'installer dans l'Utah, la vallée solitaire du Lac salé. La perspective de terres disponibles poussait les autres pionniers à chercher dans les montagnes des passages vers l'Oregon et à traverser des déserts vers la Californie. Ils ne couraient pas après les richesses faciles des ruées vers l'or, mais ils venaient pour travailler la terre et bâtir des maisons.

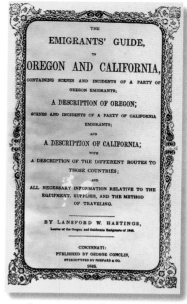

LE GUIDE DE L'ÉMIGRANT
Les candidats au départ se procuraient des ouvrages donnant des conseils pour traverser le pays en convoi de chariots. On y trouvait aussi la liste des provisions et des ustensiles à emporter, et des renseignements sur la région. Ce guide de 1845 vante l'Oregon et la Californie comme des destinations idéales, où les pionniers pourront s'installer et vivre heureux.

TOUTES LES ROUTES MÈNENT VERS L'OUEST
Le voyage à travers l'Ouest commençait habituellement dans le Missouri, et la plupart des convois suivaient une route centrale avec plusieurs embranchements s'écartant de la trace principale. La piste de l'Oregon, longue de 3 860 kilomètres, allait d'Independence, dans le Missouri, à Oregon City, dans l'Oregon. D'autres pistes bifurquaient au sud-ouest vers la Californie ou au sud vers l'Utah. Les routes utilisées par les diligences, le Pony Express, les commerçants et les conducteurs de troupeaux sont également indiquées sur cette carte.

CHIMNEY ROCK
Sur la longue piste de l'Ouest, des points de repère indiquaient aux voyageurs où ils se trouvaient. L'un des plus célèbres était Chimney Rock, qui se dresse dans le Nebraska, au-dessus du pays sablonneux de la Platte River, et se voit à des kilomètres à la ronde.

UN HAVRE SUR LA PISTE DE L'OREGON
Des milliers d'émigrants firent halte sur la piste de l'Oregon à la mission de Narcissa et du docteur Marcus Whitman, près de Walla Walla dans l'État de Washington. Les peuples indigènes, irrités par le passage des chariots, reprochèrent aux Whitman de s'occuper plus des Blancs que des Indiens. En 1847, la mission fut attaquée et les Whitman assassinés.

LA PISTE DES MORMONS

La secte chrétienne dénommée Église de Jésus Christ des Saints-des-Derniers-Jours – les mormons – fut l'une des plus nombreuses communautés à migrer vers l'Ouest. Persécutés pour leur pratique de la polygamie, les mormons organisèrent des départs en groupes pour aller vers l'Ouest. Du milieu des années 1840 à la fin des années 1860, ils suivirent une route au départ de Nauvoo, dans l'Illinois, le long de la rive nord de la Platte River, pour arriver au Grand Lac salé dans l'Utah. Certains reçurent le nom de « compagnies de la charrette à bras » parce qu'ils tiraient eux-mêmes les voitures au lieu d'utiliser des chariots attelés de chevaux, trop onéreux pour eux. Une compagnie comportant près de trois mille personnes et six cent cinquante-cinq charrettes parcourut plus de 2 000 kilomètres pour arriver dans l'Utah.

Engrenage

COMPTER LES KILOMÈTRES

Les mormons avaient inventé un « compteur kilométrique » pour enregistrer la distance parcourue chaque jour pendant leur voyage. Fixés à la roue d'une charrette ou d'un chariot, les engrenages dentés du compteur enregistraient les kilomètres tandis que la roue tournait.

LA « COMPAGNIE DES CHARRETTES À BRAS »

En quête d'une patrie où s'établir et vivre leur foi en paix, les compagnies de mormons luttèrent d'arrache-pied pour mener leurs charrettes à travers l'Ouest. Beaucoup de fidèles étaient fraîchement débarqués d'Europe où ils avaient été convertis à la religion des mormons. Leurs principales colonies – surtout présentes dans l'Utah – se renforcèrent par l'arrivée permanente de nouvelles compagnies de charrettes.

JOSEPH SMITH (1805-1844)

Natif du Vermont, Joseph Smith, fondateur de l'Église de Jésus Christ des Saints-des-Derniers-Jours, incita des milliers de fidèles à partir vers l'Ouest pour pratiquer leur religion en paix. En 1844, il fut assassiné dans l'Illinois par des émeutiers anti-mormons. Son concitoyen vermontois Brigham Young guida les mormons dans l'Utah.

UN REPOS BIEN MÉRITÉ

Tandis que leur attelage broute, des pionniers possédant des chariots bâchés, souvent appelés « vaisseaux de la prairie », se reposent au cours de leur voyage dans l'Utah dans les années 1870. Les convois faisaient généralement halte au milieu de la journée quand le soleil était le plus chaud. Ils gardaient une allure régulière de 16 à 19 kilomètres par jour pour ménager leurs bêtes.

Chariot bâché de pionniers

CHARIOTS, HALTE !

Au départ d'Independence, dans le Missouri, les convois avaient plus de 3 000 kilomètres d'herbages, de prairie sèche, de montagnes et de déserts à traverser avant la fin du voyage. Le grand chariot Conestoga utilisé dans l'Est fut transformé pour devenir le « vaisseau de la prairie », plus léger et plus résistant, adapté à l'Ouest. Les intempéries, la fatigue et la faim étaient les pires adversaires des pionniers, bien que les rencontres avec des Indiens, qui volaient le bétail et parfois attaquaient les chariots isolés, fussent aussi à craindre.

Bâche de toile

LE CONESTOGA

Des cerceaux recouverts d'une bâche de toile ont valu son nom au « chariot couvert ». L'un des premiers fut le Conestoga, nom de la communauté de Pennsylvanie où ils étaient fabriqués à l'origine. Cependant, le vaste Conestoga nécessitait un attelage de six chevaux ou bœufs et, conçu pour transporter des chargements de plusieurs tonnes, il était bien trop lourd pour les chemins d'ornières boueux de l'Ouest.

Banc du conducteur

LE « VAISSEAU DE LA PRAIRIE »

C'est à juste titre que le plus célèbre des chariots de pionniers fut appelé le « vaisseau de la prairie ». Se balançant doucement à travers le paysage, sa toile claquant comme une voile, ce chariot léger et robuste était le plus souvent tiré par une paire de bœufs. A pleine charge, les chariots pesaient un peu plus d'une tonne. La survie d'une famille était liée au comportement du chariot dans le mauvais temps et sur les pistes rocailleuses où les roues pouvaient se briser et les essieux se plier.

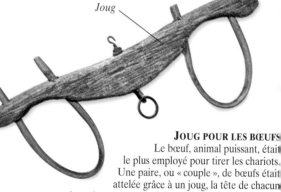

Joug

JOUG POUR LES BŒUFS

Le bœuf, animal puissant, était le plus employé pour tirer les chariots. Une paire, ou « couple », de bœufs était attelée grâce à un joug, la tête de chacun des animaux passant dans un arceau. Le conducteur marchait près de ses bêtes et les dirigeait à l'aide d'un aiguillon ou en faisant claquer un fouet au-dessus d'eux.

UNE ATTAQUE SURPRISE

Les attaques de convois par les Indiens sont surtout des inventions des romans d'aventures ou des films de western. Il arrivait cependant parfois qu'un groupe en guerre attaquât un chariot isolé, comme ici, alors qu'une famille s'efforçait de franchir une rivière.

BÂT DE SELLE

Des selles de bois fixées sur le dos des bêtes de somme, comme les chevaux et les mules, étaient un bon moyen pour transporter bagages, sacs, coffres et paniers. Les animaux de bât étaient conduits à la main ou attachés derrière un chariot ou une autre bête de somme ou derrière un cheval monté.

AIRE LES BAGAGES

es familles devaient choisir ce qu'elles emportaient et ce
u'elles laissaient. Nourriture, outils, ustensiles domestiques
 quelques meubles remplissaient le chariot. Miroirs, poupées,
struments de musique ou livres auraient pu passer pour
n luxe, mais souvent, ils trouvaient place à bord, même si les
embres de la famille étaient contraints d'aller à pied pour leur
ménager de la place.

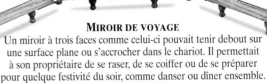

MIROIR DE VOYAGE

Un miroir à trois faces comme celui-ci pouvait tenir debout sur
une surface plane ou s'accrocher dans le chariot. Il permettait
à son propriétaire de se raser, de se coiffer ou de se préparer
pour quelque festivité du soir, comme danser ou dîner ensemble.

ENRÉES
SSENTIELLES

es tonneaux de bois
aient stockés
 l'intérieur des chariots
 accrochés
 l'extérieur. Ils
otégeaient des insectes,
 la poussière et
 la chaleur, farine, lard,
laisons, maïs, haricots
cs, fruits et biscuits.

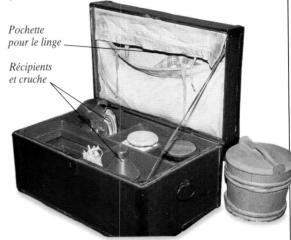

*Pochette
pour le linge*

*Récipients
et cruche*

PROVISIONS EMPAQUETÉES

Certaines denrées, comme le café, le thé, le sucre, le riz
et le sel, demandaient la protection supplémentaire
d'un sac en toile d'emballage qui les gardait au sec
et les rendait plus faciles à entreposer.

POUPÉE VOYAGEUSE

La poupée préférée d'un enfant était une
chose précieuse que l'on transportait même
dans les plus longs trajets à travers l'Ouest
et qui apportait un peu de réconfort quand
le voyage semblait ne devoir jamais finir.

USTENSILES PRÊTS À SERVIR

Tous les articles nécessaires à la cuisine
étaient transportés dans un coffret spécial.
Facile à sortir et à ranger, il contenait couteaux,
épices, cruches et pots et même une pochette
pour y loger une nappe et des serviettes de table.

AUTOUR DU FEU DE CAMP

Sur la piste de l'Oregon, des guides et des
conducteurs de chariots burinés s'installent
autour d'un foyer tandis qu'un
violoneux entame un air et que les
derniers venus arrivent au camp.

L'INSTALLATION SUR LES TERRES DU GOUVERNEMENT

Le *Homestead Act* de 1862 permettait aux pionniers d'acheter jusqu'à 64 hectares de terres disponibles à condition qu'ils les cultivent au moins cinq ans. Dans les plaines presque dépourvues d'arbres, les colons construisirent leurs premiers abris à l'aide de mottes de terre. Ils les empilaient pour édifier les murs et les déposaient sur des perches disposées en chevrons pour le toit. Grâce aux quelques effets amenés jusque dans l'Ouest, le plus simple des abris devenait une maison. Les constructions de bois ne furent possibles qu'avec la croissance des villes proches où l'on pouvait acheter du bois de charpente et des bardeaux. Quand la ferme était bien installée, la famille pouvait acheter une maison en bois avec cuisine, cheminée, fenêtres vitrées et parquet.

EN L'HONNEUR DES COLO[...]
En 1962, un timbre commém[...] le *Homestead Act* de 1862 qui ou[...] une grande partie de l'Ouest à la colonisati[...] La famille et l'abri de terre représe[...] sur le timbre sont inspirés d'une photogra[...] de l'époque. Celle-ci a également servi de mo[...] au timbre de l'immigration norvégienne de la page[...]

FIERS DE LEUR ŒUVRE
Une observation attentive permet de mesurer tout[...] le travail accompli par cette famille qui a construit sa maison dans la prairie. Cette maison creusée da[...] la colline est cependant à la merci des divagations [...] bétail. Les petites fenêtres, ou « lumières », laissen[...] entrer le jour. La table est bien garnie, deux bonne[...] mules attendent, toutes harnachées, et la famille montre tous les signes d'une prospérité future.

BUREAU DES TERRES AU KANSAS
Dans les années 1870, au bureau de vente du comté de Sedgewick, Kansas, de futurs colons discutent des terrains disponibles. Quelques-uns étudient une carte murale où sont indiquées les parcelles encore libres et celles qui ont déjà été acquises.

« LE MISSOURI EST LIBRE ! »
Cette publicité ambiguë des années 1870 laisse entendre que les terres du Missouri sont à prendre. En réalité, « libre » renvoie au fait que cet ancien État esclavagiste a aboli cette pratique à la suite de la Guerre civile. Les terres disponibles semblaient illimitées mais n'étaient pas gratuites. Il en coûtait entre 7 et 25 dollars l'hectare. Dans cet exemple, la terre était mise en vente par les chemins de fer Hannibal et Saint Joseph, qui en avaient le contrôle.

OUTILS DE CHARPENTIER

Petite scie à bûches

Perceuse à main

Herminette

Rabot

Maillet de bois

Ebranchoir

Foret

Hache

Des outils soigneusement entretenus étaient apportés dans l'Ouest dans de solides coffres.
Cette boîte à outils, transportée sur la piste de l'Oregon, contient une hache large
et une herminette pour façonner les bûches, un foret pour percer des trous
et divers petits outils pour les finitions du bois et la fabrication des meubles.

LA MAISON PRÈS DE LA RIVIÈRE

Certains endroits du Nebraska offraient aux colons
des sites boisés et proches de cours d'eau, recherchés par
les familles de pionniers, qui avaient besoin d'eau à portée
de main. Cette famille du comté de Knox a construit
sa cabane de rondins au bord de la rivière Niobrara.

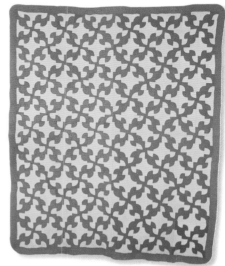

BRODEUSES

Beaucoup de femmes de pionniers mettaient leur
point d'honneur à confectionner de magnifiques
édredons en patchwork. Des années plus tard, chaque
pièce rappellerait à la brodeuse les événements
survenus à l'époque où elle avait été coupée
et cousue. Fait dans le Kentucky, ce patchwork
fut apporté dans l'Ouest par une famille de migrants.

LA VIE D'UNE FAMILLE DE LA FRONTIÈRE

Vivre dans une ferme ou un ranch isolé demandait un dur labeur. Les hommes travaillaient dans les champs, les pâturages et les étables, tandis que les femmes et les enfants s'occupaient de préparer et de conserver la nourriture, de coudre les vêtements et de tenir la maison. Au début, les marchandises achetées à l'extérieur étaient un luxe, aussi l'essentiel – du beurre au savon – était produit à la ferme. Vers 1870, on pouvait se procurer à bon marché du fil à tricoter ou à coudre au magasin général, mais le rouet familial gardait souvent sa place d'honneur. Une fois installé en sécurité chez soi, l'étape suivante consistait à s'entendre avec les autres pour bâtir une communauté durable. L'ouverture d'une école était extrêmement importante pour les gens de la Frontière, convaincus que l'éducation offrirait à leurs enfants la meilleure chance de réussir.

Moulin à vent pour pomper l'eau

MOULIN À CAFÉ
Une grande partie de la nourriture devait être préparée avant consommation. Par exemple le blé devait être moulu pour donner la farine. Les grains de café étaient broyés dans un moulin comme celui-ci.

UNE CABANE DE PIONNIERS
La maison des colons, bien que peu spacieuse, contenait l'essentiel pour une vie confortable. Un toit de bardeaux et des murs de planches jointoyées de boue séchée garantissaient une maison saine et solide, résistant aux durs hivers et aux étés brûlants. Au début, les habitants se contentaient d'un sol de terre battue, mais, avec le temps, ils ajoutaient un plancher de bois et des cloisons pour délimiter de petites chambres.

LAMPE À PÉTROLE
Des lampes à manchon de verre où brûlait du pétrole éclairaient les cabanes. Certaines étaient en cuivre, d'autres en étain et quelques-unes – comme celle-ci, provenant d'un élégant bateau à vapeur – étaient en verre ouvragé.

LE ROUET FAMILIAL
Les pionniers purent bientôt se procurer le fil du commerce, mais le rouet familial, précieux souvenir du passé, fut conservé pendant des générations. Celui-ci servait pour filer le lin.

Quenouille

Roue

Bobine pour le f...

Pédale

BOÎTES ET CUILLÈRES EN BOIS
Ce service en bois des années 1850 fabriqué avec art comprend des récipients et des ustensiles à épices. Les petites boîtes portent le nom d'ingrédients de cuisine, comme les clous de girofle, le poivre et la cannelle. La grande boîte était parfaite pour la farine.

FOURNEAU DE CUISINE
Malgré leur poids, un bon nombre de fourneaux en fonte furent transportés dans l'Ouest. Quelques-uns durent être abandonnés en route, mais d'autres arrivèrent à destination et devinrent la pièce maîtresse d'une cabane de colons nouvellement bâtie.

Cheminée

Bardeaux
de bois refendus

Placard
à vaisselle
et à nourriture

Fourneau à bois

SCOLARISER LES ENFANTS DE LA FRONTIÈRE

La plupart des colons de l'Ouest considéraient l'éducation des enfants comme une priorité. Des familles vivant loin de tout village se groupaient pour fonder une école et payer un professeur – généralement une jeune femme – qui devait instruire des écoliers d'âges divers. L'instruction, sur la frontière de l'Ouest, était bonne, car la plupart du temps elle était encouragée par les familles. Les enfants devaient travailler à leurs devoirs en plus de leurs corvées quotidiennes, mais l'été, l'école fermait pour leur permettre de travailler à la ferme.

LA RONDE AUTOUR DE LA MAÎTRESSE

Pendant la récréation, à l'école de Livingstone, dans le Montana, les enfants se tiennent par la main pour faire la ronde autour de leur maîtresse (qu'ils appellent « M'dame d'école »). Cette scène se passait dans les années 1890. Au loin, les montagnes Rocheuses.

BOUTEILLE D'ENCRE

Les écoliers apprenaient à se servir de porte-plume qu'ils trempaient dans des bouteilles d'encre ou des encriers encastrés dans leurs pupitres. S'entraîner à écrire demandait des heures de patience et une belle écriture était admirée comme un signe de bonne éducation.

L'ÉCOLE ET LA POSTE

Dans l'Ouest, les bâtiments publics avaient plusieurs usages. Les beaux édifices de bois comme cette poste-école de Soper, dans le Dakota du Nord, étaient rares et espacés. Écoliers, professeurs et probablement quelques représentants des familles s'y sont rassemblés pour cette photographie de classe en 1896.

LE PONY EXPRESS

L'image de jeunes gens intrépides transportant le courrier urgent sur des poneys rapides est l'un des symboles les plus marquants de l'Ouest. Le légendaire Pony Express ne dura pourtant que dix-huit mois. Il prit fin avec l'achèvement de la ligne du télégraphe transcontinental, en octobre 1861. C'est la firme Russell, Majors et Waddell, assurant le transport du courrier et des passagers à travers le continent, qui fonda le Pony Express et fit partir le premier cavalier de Saint Joseph, Missouri, le 3 avril 1860. Chaque courrier parcourait au galop des étapes d'une vingtaine de kilomètres entre les relais, changeant souvent de monture en cours de route. Une chaîne de cent quatre-vingt-dix relais du Pony Express fournissait des chevaux et des cavaliers frais pour diligenter la sacoche de courrier. Les lettres pouvaient parcourir les 2 900 kilomètres séparant le Missouri de la Californie en dix jours, la moitié du temps nécessaire aux livraisons par diligence. Prouesse équestre et humaine, l'entreprise fut un échec financier.

PONY EXPRESS !

CHANGE OF TIME ! REDUCED RATES !

10 Days to San Francisco!

LETTERS

WILL BE RECEIVED AT THE

OFFICE, 84 BROADWAY,

NEW YORK,

Up to **4** P. M. every TUESDAY,

AND

Up to **2½** P. M. every SATURDAY,

Which will be forwarded to connect with the PONY EXPRESS leaving ST. JOSEPH, Missouri,

Every **WEDNESDAY** and **SATURDAY** at II P. M.

TELEGRAMS

Sent to Fort Kearney on the mornings of MONDAY and FRIDAY, will connect with PONY leaving St. Joseph, WEDNESDAYS and SATURDAYS.

EXPRESS CHARGES.

LETTERS weighing half ounce or under $1 00
For every additional half ounce or fraction of an ounce 1 00
In all cases to be enclosed in 10 cent Government Stamped Envelopes,
And all Express CHARGES Pre-paid.

☞ PONY EXPRESS ENVELOPES For Sale at our Office.

WELLS, FARGO & CO., Ag'ts.

New York, July 1, 1861.

TARIFS EXPRÈS
En tant qu'entreprise privée, le Pony Exp[ress]
fixait ses propres tarifs. Il en coûtait 1 do[llar]
pour acheminer une lettre pesant 14 gram[mes]
de New York à San Francisco.

« LA PREMIÈRE CHEVAUCHÉE »
La foule s'est rassemblée pour assister à l'ouverture du service du Pony Express et acclamer le départ du premier courrier, en 1860, à Saint Joseph, Missouri.

acoche
courrier

ELLE DE COURSE
ne housse de cuir garnie
e sacoches recouvrait la selle
s cavaliers du Pony Express.
u relais, la housse était
ansférée, sans perdre
e seconde, sur la selle
un cheval frais, en général
onté par un autre cavalier.

Etrier

*Timbre du Pony
Express*

UN FIER CAVALIER
Pendant l'année
et demie que dura
l'exploitation du Pony
Express, ses jeunes
courriers furent
les personnages les plus
admirés de l'Ouest. A l'instar
de William F. Fisher (ci-contre),
ceux-ci étaient non seulement
d'excellents cavaliers,
mais aussi des hommes
courageux et pleins
de sang-froid, prêts
à affronter
bandits et
Indiens
hostiles.

ravure de la Guerre
vile imprimée
r l'enveloppe

*Tampon postal
du gouvernement fédéral*

E COURRIER FAIT DU CROSS-COUNTRY
r cette enveloppe, le tampon de la poste
ouvernementale et le timbre du Pony Express montrent qu'elle a été
heminée par Pony Express de San Francisco à Saint Joseph, Missouri,
is par la poste des Etats-Unis jusqu'à New York.

RÉCEPTEUR TÉLÉGRAPHIQUE
Avant même que la ligne du télégraphe
transcontinental ne fût terminée, de nombreuses petites
compagnies avaient construit de courtes lignes télégraphiques
pour relier des communautés locales. Le télégraphe
électromagnétique utilisait un langage codé où chaque lettre
de l'alphabet était représentée par une combinaison de signaux
courts et longs. Ces « points » et « traits » étaient envoyés au
moyen d'un manipulateur télégraphique et arrivaient dans un
récepteur où ils étaient décodés et transcrits. Le télégraphe
pouvait transmettre jusqu'à trente-cinq mots par minute.

RATTRAPÉ PAR LE PROGRÈS
Un cavalier du Pony Express salue les employés qui installent des poteaux télégraphiques
près de Chimney Rock au Nebraska. L'achèvement, en octobre 1861, de la ligne télégraphique
transcontinentale permit la transmission instantanée des messages et rendit inutile le Pony Express.

LES DILIGENCES

Jusqu'à l'avènement du chemin de fer, les diligences étaient le moyen le plus rapide pour transporter passagers et marchandises dans l'Ouest. La diligence était conçue pour affronter les profondes ornières des routes qui passaient les rivières à gué, escaladaient les montagnes et traversaient les déserts, souvent sous la pluie et la neige qui pouvaient soudain effacer la piste. Les diligences procédaient par petites étapes de 15 à 30 kilomètres jalonnées de relais. La Concord était renommée pour son efficacité et sa solidité. La caisse légère était posée sur d'épaisses sangles de cuir servant d'amortisseurs et absorbant une bonne partie des cahots des mauvaises routes. La compagnie de diligences la plus célèbre, la Wells, Fargo & Co., transportait régulièrement des cargaisons de valeur dans ses coffres-forts. La poste des États-Unis passait des contrats avec les compagnies de diligences pour le transport du courrier. Les sacs postaux étaient transportés sous le siège du conducteur.

PRÊT POUR LE PÉRILLEUX VOYAGE
Les biens les plus précieux des passagers étaient enfermés dans un robuste coffre de bois capitonné à l'intérieur et prévu pour résister aux manipulations vigoureuses.

SOUS PROTECTIO[N] DE LA COMPAGNI[E]
Les initiales W. F. su[r] ce cadenas signifier [que la] compagnie Wells, Fargo & Co. protège la cargaiso[n]

Porte-bagages

WELLS FARGO & CO. OVERLAND

U.S. MAIL

Rayon de roue   *Frein*

RELAIS EN BORD DE ROUTE
Les lignes de diligences installaient des relais en bordure de route, où les chevaux étaient changés et où les passagers pouvaient se reposer. Tirée par un attelage de six chevaux frais, une diligence quitte le relais animé de Virginia Dale dans le Colorado.

CORNE À GRAISSE
Une corne de bœuf contenant de la graisse était suspendue entre les roues de la diligence. La graisse servait à lubrifier les essieux.

ESCORTE MILITAIRE

Cette diligence Concord photographiée en 1869 est accompagnée d'une escorte militaire. Souvent, des soldats gardaient les diligences transportant des cargaisons de valeur ou du courrier important.

BART LE NOIR

Entre 1875 et 1883, un voleur surnommé Black Bart (Bart le Noir) pilla vingt-huit diligences en Californie. Charles E. Boles (1830-1917 ?) fut capturé après avoir laissé tomber par inadvertance un mouchoir portant la marque d'une blanchisserie, qui permit de l'identifier comme étant Black Bart.

Lanternes

Siège du conducteur

Levier de frein au pied

Malle avant pour les objets de valeur

Attache du timon

ABATTRE LE LEADER

Frederic Remington (1861-1909), un artiste de l'époque, a dépeint comment une attaque indienne contre une diligence lancée au galop pouvait réussir – en tuant une des bêtes de l'attelage. De tels incidents étaient rares car les routes empruntées par les diligences passaient au large des territoires hostiles.

L'« OVERLAND STAGE »

Cette diligence Concord de Wells, Fargo & Co., qui doit son nom à la ville du New Hampshire où elle fut fabriquée, était légère et résistante. Ses grandes roues la maintenaient au-dessus de la boue et hors des profondes ornières. Les diligences Wells, Fargo & Co., extrêmement bien entretenues, pesaient 1 tonne et embarquaient neuf passagers.

LA PISTE SOLITAIRE

Le conducteur de diligence doit être attentif aux effondrements de la route tandis que son attelage descend avec précaution une étroite passe dans la montagne.

LA VOIE FERRÉE ENJAMBE LE CONTINENT

Le premier chemin de fer transcontinental, mince ruban d'acier reliant la côte Ouest aux villes du Middle West, le « Centre-Ouest », fut achevé en 1869. En dix ans, les voies ferrées se multiplièrent, et il n'est rien qui ait contribué autant et aussi vite au développement et au changement de l'Ouest. Tout en favorisant la colonisation et la croissance des fermes, des troupeaux et des régions minières, le chemin de fer causa aussi la disparition du mode de vie des peuples indigènes. Les chasseurs professionnels, opérant à partir des gares de chemin de fer, détruisirent par millions, les amenant au bord de l'extinction, les bisons dont dépendaient les Indiens. Les guerriers indiens à cheval ne pouvaient pas non plus rivaliser avec les soldats du « cheval de fer », comme ils nommaient la locomotive. Vers 1890, le voyageur le plus exigeant pouvait traverser le continent rapidement et confortablement.

DROIT VERS L'HORIZON
Sous le regard des visiteurs, un groupe d'ouvriers chinois de la Central Pacific Railway pose des rails à travers le désert, vers le milieu des années 1860. Une levée de terre servait d'assise, puis on posait les traverses et enfin les rails de fer. Des tire-fond cloués dans le bois maintenaient les rails en place.

ORGUEILLEUSE JUPITER
Jupiter était l'une des locomotives qui participèrent aux festivités de 1869 à Promontory Point, dans l'Utah. Mue à la vapeur, elle fonctionnait au bois, transporté dans le tender attaché derrière la machine. Les mécaniciens de la Central Pacific étaient très fiers de Jupiter. Ils polissaient ses cuivres et entretenaient ses peintures. Le « chasse-bœufs » installé à l'avant devait repousser les débris – au besoin les vaches – hors de la voie quand le train était en marche.

Cheminée

Lanterne à pétrole

Sifflet

Tender pour le bois ou le charbon

« Chasse-bœufs »

JUPITER

60

SAC DE VOYAGE
Les sacs en cuir de bison étaient appréciés des médecins, des hommes d'affaires et des voyageurs au XIXe siècle. L'orifice vers le haut rendait l'ouverture et la fermeture aisées. L'utilisation d'une énorme quantité de dépouilles de bisons pour fabriquer sacs et couvertures – et également les courroies de transport en cuir utilisées dans les usines – provoqua la disparition des troupeaux.

LUXE DE LA PREMIÈRE CLASSE
Au milieu des années 1860, l'industriel George Pullman, de Chicago, conçut un wagon de chemin de fer équipé de sièges convertibles en lits. Cette publicité de la Chicago and Alton Rail Road assure aux usagers que le wagon-lit Pullman est le moyen le plus confortable pour traverser le pays.

PROMONTORY POINT, UTAH
Quelques immigrants chinois, dont beaucoup étaient venus aux Etats-Unis lors de la ruée vers l'or en Californie, trouvèrent à s'employer dans le chemin de fer. Cette équipe chinoise poseuse de rails a été photographiée à Promontory Point, Utah, en 1869. Sous la pression des syndicats de travailleurs blancs, cette main-d'œuvre bon marché fut supprimée en 1882, quand le Congrès interdit de fait toute immigration chinoise.

MONTRE À 1 DOLLAR
Cette montre de poche bon marché plaquée argent, et sur le boîtier de laquelle était gravé un train, était appelée « montre à 1 dollar ».

ENJAMBER LE CONTINENT
La compagnie de l'Union Pacific (UP), venant de l'Est, et celle de la Central Pacific (CP), venant de l'Ouest, se rencontrèrent à Promontory Point, près d'Ogden, Utah. Une cérémonie eut lieu le 10 mai 1869, pour la pose de la dernière section de rails. Conduites nez à nez (ou plutôt chasse-bœufs à chasse-bœufs), la locomotive de l'UP à droite et celle de la CP à gauche. On peut remarquer l'absence d'ouvriers chinois sur cette photo officielle.

Timbre-poste commémorant le chemin de fer transcontinental

DESTINATION SAN FRANCISCO
En 1869, la compagnie de chemin de fer de l'Union Pacific recommande le train pour se rendre en Californie. Cette publicité annonce : « D'Omaha... directement à San Francisco en moins de quatre jours, en évitant les dangers de la mer.! »

SYMBOLE DE SUCCÈS
Un tire-fond en or fut fabriqué pour célébrer l'achèvement de la voie transcontinentale. Sous l'œil des photographes, les officiels firent mine d'enfoncer le tire-fond d'or dans la dernière traverse. Il fut ensuite remplacé par un autre, en métal ordinaire.

LE MELTING-POT DE LA FRONTIÈRE

Un tiers de ceux qui se rendirent dans l'Ouest entre 1846 et 1880 étaient nés hors des États-Unis. La plupart souhaitaient simplement cultiver de bonnes terres et élever leur famille. D'autres, comme les mennonites germano-russes, recherchaient la liberté religieuse. Saint Louis avait une importante population germanique ; le Minnesota et le Wisconsin attiraient des Scandinaves et la Californie abritait des communautés chinoises et japonaises. En 1870, un habitant sur quatre en Californie était irlandais. Les Italiens et les Portugais étaient également nombreux sur la côte Ouest. Les Indiens restaient un élément important de la culture de l'Ouest, comme les Mexicains, majoritaires dans le Sud-Ouest et la Californie méridionale. Après la guerre de Sécession, des milliers de familles noires se mirent en route vers l'Ouest, décidées à tirer le meilleur de leur liberté nouvellement acquise.

PEUPLES DU MONDE
En 1869, ce quai de gare de la ligne de l'Union Pacific grouille de voyageurs riches et pauvres, de tous pays et de toutes cultures. La station est envahie d'Européens, d'Afro-Américains, de Chinois, d'Indiens ainsi que de prospecteurs, spéculateurs, investisseurs, chasseurs de gibier et soldats.

LES CHINOIS

Avec la découverte de l'or californien en 1848, les prospecteurs chinois arrivèrent par milliers dans le pays qu'ils nommaient « Montagne d'Or ». Beaucoup trouvèrent du travail dans les mines d'or et la construction du chemin de fer, tandis que d'autres se lancèrent dans les affaires. Au début, il y eut beaucoup de préjugés contre eux parce que leur langue et leurs coutumes étaient méconnues. Avec le temps, les Chinois se firent une place dans l'Ouest américain, préparant la voie à d'autres Asiatiques désireux de venir aux États-Unis.

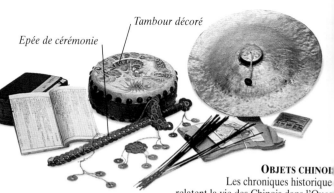

Epée de cérémonie

Tambour décoré

OBJETS CHINOI
Les chroniques historique relatent la vie des Chinois dans l'Oues où ils apportèrent tambours, encens, décorations de temple, livre et feux d'artifice. Ces accessoires leur permettaient de conserve le sens de la vie communautaire et de perpétuer leur culture

CHAMPIONS DES POMPIERS
Rien ne passionnait plus les gens de l'Ouest que les compétitions opposant les unes aux autres des équipes de lutte anti-incendie. Ce groupe de jeunes pompiers sino-américains aux uniformes impeccables gagna la course à la lance d'incendie organisée à Deadwood, Dakota, le 4 juillet 1888.

FRO-AMÉRICAINS

[plu]sieurs Afro-Américains figuraient parmi les premiers trappeurs et pionniers [de] l'Ouest. Après la Guerre civile, des jeunes gens noirs servirent dans la cavalerie et [l'in]fanterie pendant les guerres indiennes, tandis que d'autres devinrent des cow-boys [con]firmés. Des milliers d'anciens esclaves émigrèrent vers l'Ouest depuis les plantations [du] Sud, pour exploiter des fermes au Kansas, au Nebraska et dans l'Oklahoma, [où] les Noirs fondèrent leur propre université. D'autres continuèrent plus à l'Ouest [ver]s les montagnes et la côte Pacifique, installant leurs maisons et leurs commerces [dan]s des villes comme Denver et San Francisco.

EN AVANT POUR LE KANSAS !
Cette affiche de 1878, où l'ancien esclave Benjamin « Pap » Singleton se désigne comme le promoteur, invite les Noirs du Tennessee à aller s'installer au Kansas.

UN TOIT EN PAYS LIBRE
Moses Speese et sa famille posent pour un photographe dans le comté de Custer, Nebraska, en 1888. Vers la fin du siècle, les fermiers noirs cultivaient plus de 20 000 hectares dans le Nebraska.

[R]USSES, SCANDINAVES ET ALLEMANDS

[Le]s mennonites germano-russes – membres de la secte [an]abaptiste fondée au XVIe siècle par Menno Simonsz – [ap]portèrent leurs traditions centenaires de la culture du [blé] au Kansas. Le froment de leur terre natale prospéra [da]ns l'Ouest. Les Scandinaves et les Allemands furent [au]ssi d'importants colonisateurs ; beaucoup possédaient [de]s fermes ou travaillaient dans le commerce du bois. [U]n bureau d'émigration de Scandinavie envoya [jus]qu'à dix mille personnes originaires du Danemark, [de] Suède et de Norvège au Nebraska. Un autre agent [d'é]migration se vantait d'avoir amené soixante mille [Al]lemands dans le seul Kansas.

PATCHWORK ET CHANSON
Dans les années 1890, des habitants du Dakota du Nord originaires de Norvège posent pour une photographie qui les montre occupés à leur passe-temps préféré : les femmes font du patchwork, une machine à coudre à pédale posée entre elles, tandis que l'homme joue de la guitare.

BARAQUEMENTS DE MENNONITES RUSSES
Au Kansas central se trouvaient des colonies de Germano-Russes pratiquant la foi mennonite pour laquelle ils étaient persécutés dans leur Russie natale. Ils édifièrent tout d'abord de grands baraquements où ils vécurent en communauté. Par la suite, chaque famille construisit sa propre maison : d'abord des abris à demi enterrés aux murs et au toit de terre, puis, plus tard, des cabanes de rondins et, enfin, de belles maisons sur des terres vastes et prospères.

« UTVANDRINGEN TIL AMERIKA »
« L'émigration vers l'Amérique », titre ce timbre norvégien de 1975 célébrant les Norvégiens qui partirent vers le Nouveau Monde. Beaucoup eurent comme première maison un abri de terre dans les Grandes Plaines.

LES SOLDATS DE LA CAVALERIE

Bien avant la guerre mexicaine de 1846-1848, des régiments montés, appelés dragons, stationnaient dans l'Ouest américain. Au début, ils protégeaient les convois de chariots qui faisaient route vers la Californie ou l'Oregon, ou formaient la garnison des postes avancés surveillant les territoires indiens. Après la Guerre civile, les dragons furent remplacés par la cavalerie, dont les hommes semblaient nés à cheval et pouvaient supporter de longues patrouilles en selle ou frapper soudain en force. Le cavalier, rude et efflanqué, était souvent le seul garant de la paix à des centaines de kilomètres autour de son fort. Dorénavant, il pouvait aussi bien protéger la construction des nouvelles voies ferrées et des lignes de télégraphe que surveiller les mines d'or du Montana et du Nevada ou accompagner les expéditions chargées des relevés scientifiques dans l'Ouest. Combattre les Indiens était le devoir le plus difficile des soldats de la cavalerie, mais l'ennui dans les forts isolés était particulièrement pénible à ces hommes.

ÉTATS DE SERVICE
L'armée remettait aux cavaliers une médaille commémorant leurs années de campagne durant les guerres indiennes de 1870 à 1890.

Balle ronde

Balle conique

MOULE À BALLES
Jusqu'au milieu du XIXe siècle, les soldats de l'Ouest fabriquaient eux-mêmes leurs munitions en moulant des morceaux de plomb pour en faire des balles adaptées à leurs armes à feu.

Cartouches de carabine Springfield

TWENTY
CENTRAL FIRE CARTRIDGES.
45 CAL   70 GRS.
U. S. GOVERNMENT STANDARD.

12
Revolver Ball
CARTRIDGES
Calibre .45.
Frankford Arsenal, 1878.

Cartouches de Colt 45

Courroie de sabre

Boîte à amorces

Lourd sabre de cavalerie surnommé « brise-poignet »

Pistolet Colt de 1860

ÉQUIPEMENT DE CAVALIER
Le soldat de cavalerie portait une ceinture en cuir avec un étui à pistolet, des pochettes à munitions et une sangle pour suspendre son sabre. Le revolver Colt était l'arme de base du cavalier. Il était généralement prévu pour recevoir les mêmes munitions que son fusil à un coup.

MURS D'ADOBE
Bien connu des militaires et des explorateurs, le fort de Ben fut construit en 1833 et pourvu d'épais murs d'adobe (boue séchée). S'élevan dans l'actuel Colorado, le fort était un comptoir marchand sur la piste de Santa Fe qui conduisait dans le Sud-Oues

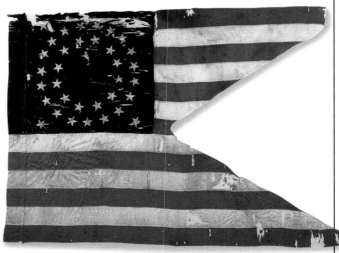

UN HAVRE SÛR
Fort Laramie, dans les plaines du Nord, protégeait les convois de chariots voyageant sur la piste de l'Oregon, comme on le voit sur cette peinture de 1860. Le fort fut construit par des trafiquants de fourrures en 1834 et vendu comme poste militaire au gouvernement des Etats-Unis en 1849 ; il resta en activité jusqu'en 1890.

FANION DE CAVALERIE
Les régiments de cavalerie comptaient douze compagnies, dont chacune possédait son fanion aux couleurs du drapeau des Etats-Unis, ce qui permettait de les repérer sur le champ de bataille.

RAPIDE, FIER ET MORTEL
Les soldats aux tuniques bleues déferlent à travers les plaines du Sud dans *La Charge de cavalerie*, une peinture des années 1890 de Frederic Remington. Dans l'Ouest, tout contrevenant pouvait s'attendre à trouver en face de lui ces soldats-centaures qui maintenaient l'ordre dans un pays dangereux et sans loi.

Casque de 1881

Uniforme complet de sergent de 1872

« SOLDATS-BISONS »
Après la Guerre civile, deux régiments de cavaliers noirs (le 9e et le 10e de cavalerie) servirent dans l'Ouest, combattant les Indiens belliqueux, les hors-la-loi et les desperados de la Frontière. Les Indiens les nommaient « soldats-bisons » à cause de leurs cheveux crépus et de leur force.

Gants de cavalerie

LES GUERRES INDIENNES, UN SIÈCLE DE COMBATS

Les Blancs qui émigraient se heurtaient aux Indiens, contraints de reculer de plus en plus loin vers l'ouest. En 1862, une révolte des Sioux chassa du Minnesota des milliers de colons. Les conflits entre Blancs et Indiens pendant les années 1880 impliquèrent presque toutes les nations indigènes, des Apaches du Sud-Ouest aux Yakimas de l'Oregon. En 1876, guerriers indiens et soldats américains s'affrontèrent à Rosebud Creek, dans le Montana ; il n'y eut ni vainqueurs ni vaincus. Peu après, des nations indiennes s'allièrent pour balayer un régiment de cavalerie sur les rives de la Little Big Horn (Montana). Ce fut la plus grande victoire des Indiens, mais les milliers de soldats envoyés contre eux forcèrent la plupart des tribus à se soumettre. En 1890, les soldats ouvrirent le feu sur un groupe de Sioux à Wounded Knee Creek dans le Dakota du Sud. Entre 150 et 370 personnes, hommes, femmes et enfants, furent tuées, la plupart désarmées. Ce fut la dernière bataille des guerres indiennes.

CHASSÉS
Des colons blancs du sud du Minnesota ont fui leur maison après de féroces attaques des Sioux santees en 1862. Huit cents civils et militaires trouvèrent la mort avant que la révolte ne fût matée par une puissante force militaire.

BÂTON DE GUERRE SIOUX
Sculpté dans un bois d'élan, ce bâton de guerre représente un oiseau aquatique. Les yeux sont faits de deux clous de cuivre. Il fut ramené par le peintre George Catlin d'un voyage dans les Grandes Plaines en 1830.

PROLOGUE À CUSTER
A la mi-juin 1876, plus de mille deux cents fantassins et cavaliers américains évitèrent de justesse la déroute face à des cheyennes et sioux de force équivalente près de la rivière Rosebud, Montan Quelques jours plus tard, ces guerriers massacraient le régiment de Custer sur la Little Big Horr

RÉSISTANCE
Encerclés par six cents Sioux et Cheyennes, le major Forsyth et cinquante hommes de la Frontière se retranchèrent sur l'île de Beecher, Colorado, en 1868. Les défenseurs repoussèrent trois charges, tuant le chef cheyenne Roman Nose. Mais leurs heures semblaient comptées jusqu'à ce que les soldats noirs du 10e de cavalerie arrivent à la rescousse.

LE POINT DE VUE DU VAINQUEUR

Le chef sioux Red Horse a représenté l'anéantissement, en 1876, des 264 hommes du 7e régiment de cavalerie du lieutenant-colonel George A. Custer. Red Horse commandait des guerriers à cette bataille, la plus célèbre des guerres indiennes, qui eut lieu près de la Little Big Horn, dans le Montana.

Levier pour charger les balles dans la chambre à feu — *Percuteur* — *Monture de bois*

Carabine Winchester utilisée par un guerrier indien à Little Big Horn

LES APACHES ARRIVENT !

Un cavalier avertit un fermier de l'Arizona que les Apaches sont sur le sentier de la guerre. Le peintre Frederic Remington se trouvait dans le Sud-Ouest pendant une campagne militaire contre les Apaches révoltés en 1886.

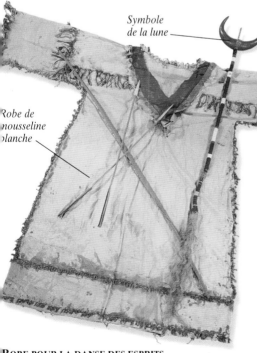

Symbole de la lune — *Franges*

Robe de mousseline blanche

WOUNDED KNEE

La dernière « bataille » des guerres indiennes fut le massacre, en 1890, d'hommes, de femmes et d'enfants sioux à Wounded Knee Creek, dans le Dakota du Sud. Les soldats américains désarmaient des Sioux quand une fusillade éclata. Les estimations varient sur le nombre de morts : 150 à 370 Sioux et 31 à 60 soldats. Cet événement reste aujourd'hui le symbole de la lutte des Amérindiens pour la reconnaissance de leurs droits aux Etats-Unis.

FOSSE COMMUNE

Sous le regard des soldats, les fossoyeurs civils placent les cadavres des Sioux dans une fosse commune après le massacre de Wounded Knee.

Reconstitution de Wounded Knee en 1994

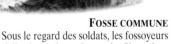

ROBE POUR LA DANSE DES ESPRITS

En 1890, beaucoup d'Indiens adhéraient à la Danse des Esprits, un mouvement qui promettait le triomphe de la culture indienne. Les adeptes portaient les symboles du soleil, de la lune et des étoiles et revêtaient les « robes blanches des esprits » ornées de symboles peints.

LES CHEFS DES GUERRES INDIENNES

George A. Custer, George Crook et Kit Carson avaient commandé les troupes de l'Union durant la Guerre civile. Les chefs indiens, moins expérimentés, se révélèrent être de grands chefs de guerre. Sitting Bull encouragea les Sioux à se défendre eux-mêmes. Chef Joseph s'opposa à la guerre jusqu'à ce que son peuple fût si opprimé qu'il se rebellât. Quanah Parker fut un excellent chef de guerre comanche mais, comme les dirigeants des autres tribus, il ne put vaincre les soldats, mieux armés. En 1886, le général Crook débusqua le *medicine man* apache Geronimo, le dernier Indien à se rendre. Geronimo souhaita être considéré comme un prisonnier de guerre.

FRINGANT M.. TÉMÉRAIRE
Ce portrait de George A. Custer a été peint par Alexan... Lawrie vers 18...

GEORGE ARMSTRONG CUSTER

En 1876, l'officier de cavalerie George Armstrong Custer (1839-1876), désobéissant aux ordres, attaqua imprudemment un important village indien au bord de la Little Big Horn. Le détachement de Custer fut anéanti jusqu'au dernier homme. La nation américaine fut bouleversée et elle considéra Custer comme un martyr. Ce dernier, présomptueux, était en fait un farouche et cruel adversaire des Indiens qu'il souhaitait exterminer.

Livret du *Requiem* à Custer

LES OFFICIERS DE CUSTER
En 1874, trente-huit membres du corps d'officiers et de scientifiques du lieutenant-colonel George A. Custer posent pour un portrait de groupe au camp de Bos Elder Creek, territoire du Dakota. Deux ans plus tard, la moitié d'entre eux périront à Little Big Horn.

SITTING BULL

Chef de guerre dans sa jeunesse, Tatanka Iyotake – Sitting Bull (v. 1831-1890) – devint plus tard sachem et chaman. Après la participation de ses guerriers à la défaite de Custer en 1876, il devint célèbre. En 1885, il se joignit au Wild West Show de Buffalo Bill. En 1890, pendant le mouvement de la Danse des Esprits, il fut abattu par une force de police constituée de Sioux loyalistes. Après sa mort, ses effets personnels furent pieusement conservés comme les témoins d'un âge révolu.

Boutons militaires

Fra... décoré...

Veste de campagne en daim de Custer

Poignée décorée

Poignard de Sitting Bull

Mocassins de Sitting Bull

KIT CARSON (1809-1868)
Homme des montagnes, propriétaire de ranch et soldat, Kit Carson mena dans le Sud-Ouest des campagnes à l'issue desquelles il soumit les Navajos, les Apaches mescaleros et les Kiowas. En tant que délégué indien représentant du gouvernement auprès des tribus du nord du Nouveau-Mexique, Carson gagna leur confiance et leur respect.

CHEF JOSEPH (1840-1904)
« Tonnerre roulant de la montagne » était le nom indien de ce chef pacifiste des Nez-Percés, qui refusa d'être conduit dans une réserve encore plus restreinte. En 1877, Joseph entraîna trois cent cinquante des siens dans une fuite de 1 900 kilomètres avant d'être capturé par l'armée.

QUANAH PARKER (v. 1845-1911)
Fils d'une captive blanche et d'un Comanche, Quanah Parker était un chef de guerre qui, en 1875, conduisit son groupe à la réserve de l'Oklahoma. Lorsque ces territoires indiens furent ouverts à la colonisation en 1889, Quanah Parker négocia âprement afin d'obtenir pour son peuple les meilleures conditions possibles.

LE MEILLEUR GÉNÉRAL
Conscient que l'« agitation des Indiens » provenait du non-respect de ses promesses par le gouvernement, le général George Crook (1828-1890) essaya d'abord la diplomatie, puis la guerre. Défenseur des droits des Indiens, Crook pacifia le Nord-Ouest et le Sud-Ouest. Il fut considéré comme le meilleur dirigeant de l'armée pendant les guerres indiennes.

INSAISISSABLES GUERRIERS APACHES
1886 : Geronimo, chef des Apaches chiricahuas, se tient avec des hommes de sa troupe d'une cinquantaine de combattants près de la frontière entre les États-Unis et le Mexique. Des milliers de soldats essayèrent de capturer Geronimo, mais il fut finalement débusqué par les guides apaches de l'armée. Une police indienne aidait également les militaires. Ses membres prêtaient serment comme shérifs adjoints et maintenaient la loi et l'ordre dans les réserves.

Etoile de shérif apache

Ceinture de munitions

Carabine à répétition

Bandeau apache

Geronimo

49

HORS-LA-LOI ET REPRÉSENTANTS DE L'ORDRE

Jusqu'au début des années 1890, des gangs de criminels écumaient l'Ouest, volant le bétail, dévalisant les banques et pillant les diligences et les trains. Venir à bout des hors-la-loi demandait des hommes courageux et vifs à la détente comme « Wild Bill » Hickock, le plus célèbre des shérifs de cette époque. Certains, bien qu'appointés pour maintenir l'ordre, vivaient eux-mêmes aux limites de la loi. Dans la ville-marché de Dodge City, les « garants du droit » comprenaient des joueurs notoires et des bandits, comme Luke Short et les frères Earp. Le « juge » Roy Bean, tenancier de saloon au Texas et juge de paix auto-proclamé, organisait des matchs de boxe illégaux et avait la réputation d'interrompre ses séances au tribunal pour vendre des boissons alcoolisées. En dépit des légendes, même les plus célèbres hors-la-loi finissaient en prison. Beaucoup, comme Billy the Kid au Nouveau-Mexique, connurent une mort précoce et violente. Le dernier gang célèbre, le Wild Bunch, fut démasqué par les détectives de l'agence d'Allan Pinkerton.

GUIDE, TIREUR D'ÉLITE ET SHÉRIF DE LA FRONTIÈRE
James Butler, alias « Wild Bill » Hickock (1837-1876), fut guide pour des expéditions de chasse, excellent fusil et shérif dans les turbulentes villes-marchés. Arborant de longs cheveux ondulés, il jouait son propre rôle dans un spectacle de Far West et au théâtre. Il fut abattu dans le dos dans la ville minière de Deadwood, au Dakota.

L'ÉTOILE DE L'AUTORITÉ
Le shérif était le représentant de l'ordre élu de la plupart des communautés de l'Ouest. Son étoile était le symbole de son autorité et du respect que lui portaient ses concitoyens.

Clés de la prison du shérif

Anciennes menottes en nickel

LES INSTRUMENTS DU MÉTIER
Le Colt calibre 36 à six coups nécessitait une amorce – une petite charge de poudre à fusil qui explosait quand on appuyait sur la gâchette et qui enflammait la cartouche contenant la balle. Il fut remplacé par le modèle à simple action de 1873 qui tirait des cartouches métalliques sans amorce.

Wyatt Earp — Luke Short — Bat Masterson

LES GARANTS DE LA PAIX
Pour maintenir l'ordre, les villes de la Frontière employaient des rois de la gâche aussi redoutables et susceptibles que bien des fauteurs de troubles. Dans les années 1870, les « représentants de l'ordre » de Dodge City au Kansas (ci-dessu étaient dirigés par les bandits Wyatt Earp, Luke Short et Bat Masterson.

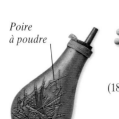

Poire à poudre

Amorces

Boîte à amorces

LA LOI À L'OUEST DU PECOS
Dans les années 1880, le « juge » Roy Bean (1825-1903) ouvrit un saloon dans l'ouest du Texas sur les bords du Pecos et se proclama lui-même juge de paix. Photographié ici en train de juger un voleur de chevaux, Bean était respecté pour le bon sens avec lequel il jugeait les cas – bien que certaines de ses décisions eussent favorisé ses amis.

BILLY THE KID
Le bandit légendaire William H. Bonney (1859-1881), surnommé Billy the Kid, « le gosse », avait seulement 17 ans quand il tua son premier homme. Le Kid prit part à de sanglants règlements de comptes et à des entreprises criminelles dans le Sud-Ouest et fut abattu par un shérif qui avait été autrefois son ami.

ATTAQUE DE TRAIN
Les trains cheminant à travers des contrées désolées étaient des cibles pour les hors-la-loi qui barraient les rails, dévalisaient les passagers et raflaient la malle-poste. Dans ce hold-up d'un train de l'Union Pacific en 1887, les voleurs ouvrent les coffres pour s'emparer des valeurs qu'ils contiennent.

SOUS CLÉ
A l'abri de leurs épaisses parois d'acier, les coffres-forts des trains renfermaient l'argent, les bijoux et la poudre d'or qui attiraient les bandits. Ces derniers faisaient souvent sauter les portes des coffres à la dynamite.

« NOUS NE DORMONS JAMAIS »
Cette publicité porte le célèbre slogan de l'agence de détectives Pinkerton, fondée par l'émigrant écossais Allan Pinkerton dans les années 1850. Aussi connue que n'importe quelle bande de hors-la-loi, l'agence de Pinkerton avait des bureaux dans plusieurs villes de l'Ouest. Ses détectives étaient admirés des citoyens amis de l'ordre et redoutés des criminels.

...ectives et bureaux   Symbole des enquêteurs perspicaces   Slogan de l'agence (« Nous ne dormons jamais »)

Cartouche courte à douille de calibre 41

...à un coup Deringer

Harry Longbaugh « le Sundance Kid »

...S BANDITS PROSPÈRES
...èbres pour leurs attaques ...rains et de banques ...Wyoming au ...uveau-Mexique, le ...g du Wild Bunch ...ande sauvage ») ...e au fort de Worth, ...as, en 1901. Les ...x chefs, Robert ...arker (alias Butch ...ssidy) et Harry ...ngbaugh (alias ...dance Kid) ...appèrent aux ...ectives des chemins ...er et passèrent en ...érique du Sud où ...continuèrent leurs ...rières criminelles.

Le gang de hors-la-loi du Wild Bunch

Will Carver

Ben Kilpatrick « le Grand Texan »

Harvey Logan « Kid Curry »

Robert L. Parker « Butch Cassidy »

LES VILLES-CHAMPIGNONS

Les colonies qui apparaissaient subitement et se développaient de façon spectaculaire étaient appelées « villes-champignons ». Beaucoup retombaient dans l'oubli en quelques mois. Certaines dépendaient de mines d'or ou d'argent, d'autres étaient des terminus de chemin de fer d'où les troupeaux étaient envoyés au marché, et d'autres encore fournissaient en bois les bûcherons et les scieries. Quand le métal précieux s'épuisait, que s'ouvrait une meilleure tête de ligne ou que les arbres venaient à manquer, les habitants partaient. Les villes minières autrefois surpeuplées de Virginia City, au Montana, et Bodie, en Californie, devinrent des villes fantômes. Les villes-marchés du Kansas, Dodge City ou Abilene, ont réussi à survivre, tandis que San Francisco et Denver, anciennes villes-champignons, sont devenues de grandes métropoles.

LA TÊTE DE LIGNE
Une nouvelle gare de chemin de fer pouvait transformer une colonie de la Frontière jadis tranquille en ville-champignon où les Longhorns, les « longues cornes », étaient rassemblées dans des wagons à bestiaux pour être conduites au marché.

OUTILS DE SELLIER
Ces outils à travailler le cuir étaient utilisés pour fabriquer, réparer et décorer les selles. Quand un troupeau de bovins arrivait dans une ville-marché, les cow-boys étaient toujours en quête des services d'un sellier pour réparer une sangle ou se procurer une nouvelle selle.

SALOON DU FAR WEST

Les saloons possédaient un attrait irrésistible pour les cow-boys fatigués de la piste ou les prospecteurs nouvellement enrichis qui venaient en ville pour se défouler. Les habitués misaient à des jeux de cartes, comme le faro, le poker et le blackjack. On vendait des boissons alcoolisées dans des bouteilles alignées sur des étagères derrière le bar et l'atmosphère était toujours enfumée.

Bouteilles derrière le comptoir

A la fin des années 1870, Bodie, en Californie, une ville minière grouillante d'animation où l'on extrayait de l'or, devint, en quatre ans à peine, une ville fantôme, quand les mineurs se déplacèrent vers de meilleurs gisements. A son apogée, Bodie comptait dix mille habitants, deux mille bâtiments et soixante-cinq saloons. Mills Street (ci-dessous) était un endroit animé. Entourée par le désert, Bodie n'avait plus rien à offrir quand les filons furent épuisés.

BLAKE STREET À DENVER

La prospérité se lit dans cette vue de la principale avenue de Denver, Colorado, au temps de la Guerre civile. Denver s'était remise des inondations et incendies qui avaient détruit la plupart de ses bâtiments d'origine. Même de telles catastrophes ne parvenaient pas à décourager les aventuriers, les commerçants et les chercheurs d'or qui se pressaient à Denver, laquelle devint la ville la plus importante entre Saint Louis et la Californie.

UNE ÉCOLE ABANDONNÉE

C'est pleins d'espoir pour l'avenir de leur communauté que les colons de Calico, en Californie, avaient bâti cette école pour leurs enfants. Pourtant, tous les habitants partirent, laissant leur ville à l'abandon et l'école vide.

DODGE CITY EN 1878

Dodge City, sans doute la ville-champignon la plus célèbre de l'Ouest, prospéra en tant que marché aux bestiaux du Kansas après la Guerre civile. Dodge City était connue pour ses représentants de l'ordre à la gâchette facile tels Wyatt Earp, Bat Masterson et Bill Tilghman. Leur réputation épouvantable suffisait la plupart du temps à maintenir la paix dans les saloons et dans les rues sans qu'ils eussent à sortir leurs revolvers.

BONS DOCTEURS ET CHARLATANS

Parmi les médecins de l'Ouest, beaucoup n'avaient pas fait d'études, ayant simplement appris leur métier par l'expérience et les manuels de vulgarisation médicale. Les États-Unis comptaient très peu d'écoles de médecine. Les médecins parcouraient de longues distances de maison en maison pour soigner les malades. Souvent, ils étaient payés en poulets, en fruits ou en bois de chauffage par leurs clients pauvres en monnaie sonnante et trébuchante. On ne les appelait que pour les blessures graves et les maladies qui résistaient aux remèdes domestiques comme la cuillerée de soufre et de mélasse ou la dose de sève de bouleau. Les « médicaments brevetés », comme on appelait les élixirs, gouttes, pommades, composés, baumes, liniments et autres mixtures vendues dans le commerce, avaient la faveur des patients. Quelques soi-disant médecins parcouraient le pays, vendant à bord de leur chariot des médicaments brevetés qu'ils faisaient passer pour de vieux remèdes indiens.

LE MÉDECIN DE CAMPAGNE
Son cheval sellé, prêt à continuer ses visites, un médecin de campagne converse avec une femme à l'air inquiet, lui prescrivant peut-être un remède pour un des membres de sa famille.

Mortier

Poche

Pilon

PILER ET MÉLANGER
Mortiers et pilons servaient à moudre toutes sortes d'ingrédients entrant dans la composition des remèdes du docteur. Substances diverses, minéraux, extraits de plantes, herbes et racines séchées étaient réduits en poudre fine puis mélangés selon la prescription du médecin.

LES SACOCHES DU DOCTEUR WHIT[...]
Le docteur Marcus Whitman, de l'Ore[...] (1802-1847), était l'exemple parfait de l'infatigable médecin de l'Ouest. Whitm[...] parcourut des milliers de kilomètres à chev[...] partant pendant plusieurs semaines pour fai[...] ses visites chez des gens de toutes ethnies. Ses sacoch[...] contenaient ses instruments et des médicaments transportés par tous les temps, de villages d'Indiens [...] colonies de Blancs et jusque dans les trains de passag[...]

Lunettes de médecin et leur étui

PHARMACIE D'UN MÉDECIN
Parmi les remèdes de base prescrits par un médecin de la Frontière se trouvaient le calomel, un laxatif puissant utilisé pour nettoyer les intestins, et l'ipéca, employé comme vomitif. Sur les étagères des praticiens, on pouvait voir aussi de la morphine, pour atténuer la douleur, de la quinine, contre la malaria, et du camphre, utilisé comme remontant ou comme liniment.

LE CABINET DU DENTISTE
Le docteur Greene Vardiman Black, dont le buste figure dans cette reconstitution de son cabinet de 1885, est célébré comme le « père de la médecine dentaire moderne ». Black était chercheur et professeur dans les collèges de médecine dentaire de l'Illinois et du Missouri. Il écrivit d'importants articles sur son art et améliora les méthodes de creusement et de remplissage des cavités dentaires.

LES CHARLATANS

Les bouteilles d'élixir trouvaient des acheteurs parmi un public convaincu par le boniment que débitait le charlatan, du haut de son « chariot à médecines ». Il y avait là des remèdes de toutes sortes, y compris ceux qui permettaient de « purifier le sang », recommandés pour tout guérir, de la toux et du gonflement des ganglions à l'épilepsie et même au cancer. Les recettes étaient tenues secrètes, mais quelques-unes contenaient de l'alcool et beaucoup étaient inefficaces.

Ceux qui se méfiaient de ces remèdes les appelaient « huile de serpent ».

MAKES CHILDREN AND ADULTS AS FAT AS PIGS.

Price 50 Cents

GROVE'S TASTELESS CHILL TONIC

ON THE MARKET OVER 20 YEARS
½ MILLION BOTTLES SOLD LAST YEAR

GROS ET GRAS
La prise régulière d'une cuillerée du tonique vanté dans la publicité ci-dessus était censée faire grossir adultes et enfants, les rendant « aussi gras que des cochons ». L'embonpoint était considéré comme un signe de bonne santé et les fabricants de cet élixir s'enorgueillissaient de plus de vingt ans de succès.

POUR LE FOIE
A tort ou à raison, les ennuis de santé étaient souvent attribués au foie et les bouteilles de potions pour soulager cet organe faisaient partie des remèdes qu'il fallait avoir sous la main.

KICKAPOO

REMÈDES INDIENS
Les médecines traditionnelles utilisées par les Indiens avaient la réputation de pouvoir guérir presque toutes les maladies. En 1890, ce spectacle ambulant divertissait le public tout en démontrant les vertus de prétendus remèdes des Indiens kickapoos.

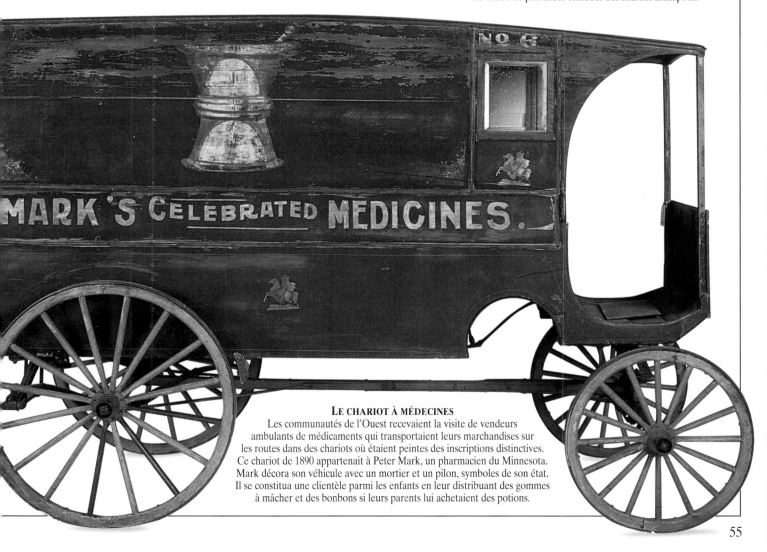

MARK'S CELEBRATED MEDICINES.

LE CHARIOT À MÉDECINES
Les communautés de l'Ouest recevaient la visite de vendeurs ambulants de médicaments qui transportaient leurs marchandises sur les routes dans des chariots où étaient peintes des inscriptions distinctives. Ce chariot de 1890 appartenait à Peter Mark, un pharmacien du Minnesota. Mark décora son véhicule avec un mortier et un pilon, symboles de son état. Il se constitua une clientèle parmi les enfants en leur distribuant des gommes à mâcher et des bonbons si leurs parents lui achetaient des potions.

UNE VIE DE COW-BOY

Le personnage le plus romantique du Vieil Ouest fut le cow-boy, bien que sa vie quotidienne ait été tout sauf romantique. C'était un métier rude et dangereux. Le salaire était maigre et il fallait passer de longues heures solitaires en selle. Les cow-boys se devaient d'être d'excellents cavaliers, habiles au lasso et capables de coucher un bœuf sur le côté pour le marquer au fer. Ils frôlaient parfois la mort comme lors de la charge de centaines de Longhorns effrayées par un éclair. Le seul vrai moment de détente du cow-boy consistait en ces quelques heures de repos qui suivaient le repas frugal mais bienvenu préparé dans la cuisine roulante. Les hommes s'asseyaient alors autour du feu ou dans leur abri, échangeant des histoires et entonnant des chansons, profitant de la compagnie de ceux qui chaque jour partageaient le même sort.

Selle de type californien

Chemis...
sans co...

Gilet d...

« Chaparajos »

L'HISTOIRE D'UN COW-BOY

Dans ce livre de 1885, *Un cow-boy du Texas*, Charles Siringo fut un des premiers à décrire la vie des cow-boys. Il était aussi détective et participa à la guerre des pâturages entre éleveurs de moutons et de bovins.

TENUE DE TRAVAIL

Avec son accoutrement voyant, ce cow-boy ressemble plus à un concurrent de rodéo qu'à un vacher au travail. Cependant, chaque pièce du vêtement avait son utilité et était indispensable au cow-boy du Vieil Ouest. Les *chaparajos* protégeaient les jambes des branches acérées et des épines de cactus, et le chapeau à large bord abritait du soleil et de la pluie.

LE STETSON

Dans les années 1860, un chapelier du New Jersey nommé John B. Stetson inventa un chapeau à large bord idéal pour le plein air. Le stetson devint le couvre-chef le plus utilisé dans l'Ouest. Vers 1900, la compagnie fabriquait plus de 2 millions de chapeaux par an.

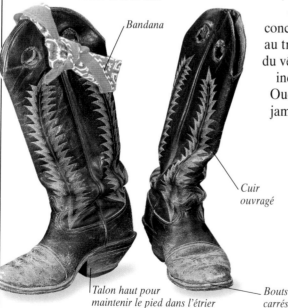

Bandana

Cuir ouvragé

Talon haut pour maintenir le pied dans l'étrier

Bouts carrés

BOTTES DE COW-BOY

Les bottes d'apparat faites de cuir de première qualité étaient souvent magnifiquement décorées. Pour le travail, les cow-boys préféraient des bottes unies à fine semelle pour mieux sentir les étriers. Les bottes pouvaient avoir jusqu'à 40 centimètres de longueur avec un talon de près de 6 centimètres de hauteur. Le talon haut empêchait le pied de glisser à travers l'étrier.

ÉPERONS À MOLETTE

Les cow-boys portaient des éperons pour stimuler leur cheval. Pour ne pas blesser leur monture, ils émoussaient les pointes des rouelles en les limant. Quand ils chevauchaient, les éperons cliquetaient, rendant un son familier que les gens de l'Ouest appelaient « musique de la selle ».

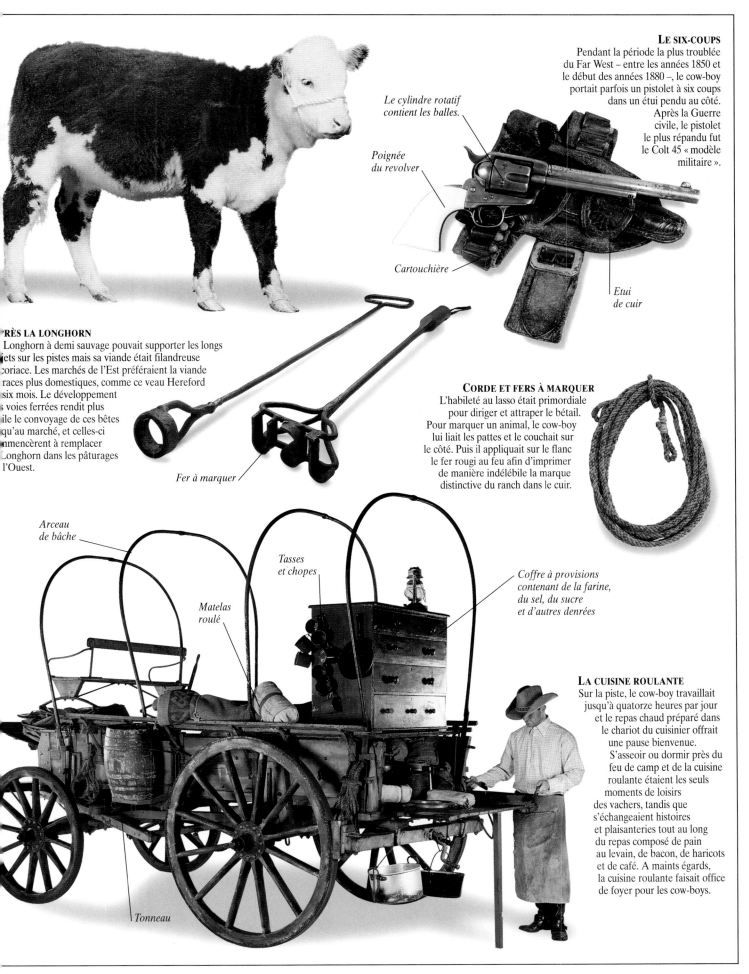

Pendant la période la plus troublée
du Far West – entre les années 1850 et
le début des années 1880 –, le cow-boy
portait parfois un pistolet à six coups
dans un étui pendu au côté.
Après la Guerre
civile, le pistolet
le plus répandu fut
le Colt 45 « modèle
militaire ».

Le cylindre rotatif
contient les balles.

Poignée
du revolver

Cartouchière

Etui
de cuir

PRÈS LA LONGHORN
Longhorn à demi sauvage pouvait supporter les longs
...ets sur les pistes mais sa viande était filandreuse
...coriace. Les marchés de l'Est préféraient la viande
...races plus domestiques, comme ce veau Hereford
...six mois. Le développement
...s voies ferrées rendit plus
...ile le convoyage de ces bêtes
...qu'au marché, et celles-ci
...mmencèrent à remplacer
...Longhorn dans les pâturages
...l'Ouest.

Fer à marquer

CORDE ET FERS À MARQUER
L'habileté au lasso était primordiale
pour diriger et attraper le bétail.
Pour marquer un animal, le cow-boy
lui liait les pattes et le couchait sur
le côté. Puis il appliquait sur le flanc
le fer rougi au feu afin d'imprimer
de manière indélébile la marque
distinctive du ranch dans le cuir.

Arceau
de bâche

Tasses
et chopes

Matelas
roulé

Coffre à provisions
contenant de la farine,
du sel, du sucre
et d'autres denrées

LA CUISINE ROULANTE
Sur la piste, le cow-boy travaillait
jusqu'à quatorze heures par jour
et le repas chaud préparé dans
le chariot du cuisinier offrait
une pause bienvenue.
S'asseoir ou dormir près du
feu de camp et de la cuisine
roulante étaient les seuls
moments de loisirs
des vachers, tandis que
s'échangeaient histoires
et plaisanteries tout au long
du repas composé de pain
au levain, de bacon, de haricots
et de café. A maints égards,
la cuisine roulante faisait office
de foyer pour les cow-boys.

Tonneau

LES CONVOIS DE BÉTAIL

Les cow-boys rassemblaient plusieurs centaines de têtes de bétail pour les mener en convoi au cours d'un voyage de trois mois qui pouvait représenter un trajet de 2 000 kilomètres. Il s'agissait de conduire les bœufs dans de nouveaux pâturages ou au marché, ou de les diriger vers une tête de ligne pour un transport par chemin de fer. Après la Guerre civile, on croisait sur les pistes des cow-boys de toutes origines. Il y avait des Mexicains, des Noirs et des Indiens ainsi qu'un grand nombre d'immigrants anglais et écossais. Les cow-boys fêtaient la fin du trajet en s'offrant le luxe de l'hôtel et la nourriture d'un vrai restaurant. Souvent, ils perdaient au jeu tout ce qu'ils avaient gagné en convoyant les animaux.

DANS LES PÂTURAGES
Les rustiques Longhorns, descendantes des races mexicaines, se déplaçaient librement dans les pâturages et s'étaient bien adaptées aux conditions arides du Sud-Ouest et des plaines. Les cow-boys les rassemblaient une fois par an pour former un troupeau suffisamment important qui était conduit à une tête de ligne où elles étaient vendues et envoyées au marché.

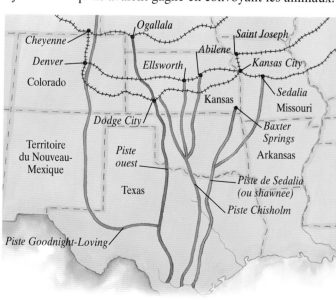

Principales pistes à bétail de l'Ouest

LES DANGERS DE LA PISTE

Les convoyeurs qui conduisaient les troupeaux tout au long de la piste affrontaient bien des dangers, y compris les orages qui pouvaient provoquer la panique chez les bêtes. De temps en temps, ils avaient affaire à des Indiens hostiles ou à des bêtes sauvages qui s'attaquaient aux jeunes veaux. Mais le pire danger était le passage des rivières traversées par la piste. Tandis que le troupeau franchissait le cours d'eau à gué, il arrivait qu'une vache ou un cavalier fît un faux pas et se noyât, emporté par la violence du courant.

DÉBANDADE

Le bétail menaçait toujours de s'emporter si quelque chose l'effrayait, même dans la rue principale de Dodge City. Les cow-boys devaient alors chevaucher à la tête du troupeau emballé et tirer en l'air, faire claquer les fouets, siffler et crier pour essayer de faire tourner le meneur du troupeau. Quand les bêtes étaient épuisées à force de tourner en rond, elles s'arrêtaient.

LA FIN DE LA PRAIRIE

Au début, le bétail paissait en liberté dans les pâturages ouverts mais, dans la dernière partie du XIXe siècle, des milliers de kilomètres de fils de fer barbelés firent leur apparition. Ranchers et éleveurs de moutons voulaient contrôler les déplacements de leur cheptel. Dans certaines régions, les controverses à propos du droit de clore les pâturages débouchèrent sur des affrontements armés et il arrivait souvent que des adversaires coupent leurs clôtures réciproques. La croissance des villes et le développement de l'agriculture restreignirent ensuite les pâturages d'un bout à l'autre de l'Ouest.

VOLEURS DE BÉTAIL

Bien que cela arrivât rarement, une attaque soudaine par des voleurs restait possible. Ci-dessus, des cow-boys font feu sur des bandits mexicains qui tentent de s'enfuir avec du bétail volé au Texas.

LAISSÉ SUR LA PISTE

Les crânes de Longhorns jalonnaient les pistes du bétail, témoignant des rudes conditions du trajet et des pertes qui frappaient le troupeau au long de la route.

DES MOUTONS SUR LA PRAIRIE

Les vachers se plaignaient que les moutons broutent l'herbe trop ras pour qu'elle repousse et qu'ils dévastent les points d'eau. A certains moments, de violents conflits éclatèrent entre les éleveurs de moutons et les ranchers pour le contrôle de la terre.

DES BARBELÉS DE TOUTES SORTES

La colonisation de l'Ouest et le développement de l'agriculture eurent pour conséquence la pose de milliers de kilomètres de fils de fer barbelés destinés à protéger la propriété privée. Les barbelés morcelèrent la prairie, irritant les éleveurs de bovins qui avaient l'habitude de laisser paître leurs bêtes partout où il y avait de l'herbe.

DE LEURS PROPRES MAINS

Ces habitants du Nebraska, armés de fausses cisailles en bois, dénoncent certains vachers qui, masqués, faisaient leur propre loi, coupant illégalement les clôtures de barbelés afin de permettre au bétail de brouter librement.

CULTIVER L'OUEST

La politique gouvernementale de sédentarisation durable permettait d'acheter dans l'Ouest des terres à bon marché, ce qui encouragea une colonisation rapide. Au départ, la plupart des fermes étaient cultivées par une famille, qui coopérait avec d'autres pour les grands travaux des récoltes. Le développement des équipements mécaniques pour moissonner, battre, labourer et semer rendit bientôt possible la culture de vastes champs de céréales, comme le maïs et le blé. L'eau étant souvent rare, les éoliennes, qui pompaient l'eau souterraine pour les hommes, les champs et le bétail, devinrent des éléments familiers du paysage. En 1867, des fermiers se réunirent pour fonder le National Grange, une puissante organisation politique représentant les agriculteurs.

LABOURER L'HERBE
A l'aide de sa charrue attelée d'une paire de bœufs, un colon du Dakota du Sud laboure le sol vierge de l'Ouest. Les ossements de bisons enterrés fournissaient un riche engrais.

FAUCHER LES CHAMPS
Cette publicité vante la faucheuse rapide Climax, produite par une firme de Corry, en Pennsylvanie. Tirée par des chevaux, elle pouvait faucher de 3 à 6 hectares de pâture par jour.

UNE ÉOLIENNE FAMILIALE
Les McCarty du comté de Custer, Nebraska, sont rassemblés devant leur éolienne en bois, essentielle pour pomper l'eau jusqu'à 60 mètres de profondeur ou plus. La « queue » de l'éolienne, qui la maintenait face au vent, offrait aussi un espace publicitaire.

DU BLÉ POUR LE PAIN
Certaines variétés de froment apportées en Amérique par les mennonites de Russie prospérèrent et donnèrent de généreuses récoltes dans les Grandes Plaines.

MOISSONNEUSE-BATTEUSE
La mécanisation de l'agriculture permit à une même famille de semer et de récolter d'énormes quantités de grains. Près de Walla Walla, dans l'État de Washington, ce combiné, tiré à travers champs par des chevaux, cumule plusieurs fonctions : il coupe, bat et vanne le blé.

Combiné multi-fonctions

Attelage de trente-trois chevaux

ELLE À GRAINS
...uand le grain était récolté et séparé ... son, il devait être entreposé au sec. ... es pelles faites d'une seule pièce ... bois servaient à le transvaser ... ns les aires de stockage ... dans les wagons ...rtant pour ... marché.

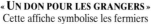

CROCHET À FOIN
C'est grâce à la force musculaire et à ce crochet en fer forgé que les balles de foin étaient hissées dans les granges et stockées pour nourrir le bétail l'hiver.

FÊTE DE L'AGRICULTURE
Un timbre à 2 cents des Etats-Unis édité en 1898 célébrait l'agriculture américaine, une industrie en pleine mécanisation dont les équipements de plus en plus performants permettaient de labourer, semer, récolter et moissonner les céréales.

« UN DON POUR LES GRANGERS »
Cette affiche symbolise les fermiers qui, d'un bout à l'autre de l'Amérique, se réunirent sous l'égide des Patrons of Husbandry, « protecteurs de l'agriculture », communément dénommés Grangers. Politiquement puissants, avec huit cent mille adhérents à la fin du XIXe siècle, les Grangers s'organisèrent pour garantir à leurs membres un traitement équitable de la part des autorités tant au niveau local que national et pour empêcher la surcharge des chemins de fer lors du convoyage des produits agricoles vers le marché.

LA LÉGENDE DE L'OUEST

Le XIXᵉ siècle finissant vit s'ouvrir la frontière de l'Ouest sur des villes, des élevages de bétail, une agriculture à grande échelle, des parcs nationaux et des puits de pétrole. Des partisans de la vie au grand air et des naturalistes, comme Theodore Roosevelt, s'efforcèrent, avec succès, de préserver les ressources et de protéger les paysages, mais l'Ouest s'était irrémédiablement transformé. Tandis que le Vieil Ouest se civilisait, la légende romantique de « l'Ouest sauvage » gagnait en popularité. Ce terme naquit des troupes itinérantes qui proposaient des spectacles de tir de précision et de voltige, et des reconstitutions de chasse au bison, de bagarres au pistolet et de hold-up. La fascination pour le Far West fut stimulée par les romans à sensation qui se vendaient par millions. Parmi les tout premiers films figurent les « westerns », qui contribuèrent à exagérer la réputation de sauvagerie du Vieil Ouest. L'Amérique se passionna pour l'Ouest des pionniers – une époque révolue, mais qui n'était pas près de tomber dans l'oubli.

LE WILD WEST SHOW

Ancien guide de la Prairie, William F. Cody, *alias* « Buffalo Bill », fonda en 1883 un spectacle de Far West qui se produisit pendant trente ans en Amérique et en Europe. La tireuse d'élite Annie Oakley et des cow-boys célèbres en étaient les vedettes.

Les attractions les plus spectaculaires incluaient une course relais du Pony Express, une reconstitution du « dernier combat de Custer » et une attaque d'Indiens contre la diligence de Deadwood. Même le grand chef sioux Sitting Bull se joignit brièvement à la troupe pendant la saison 1885. C'est lui qui donna à Annie Oakley son célèbre surnom Little Sure Shot (« petit coup de feu sûr »).

OAKLEY, REINE DE LA GÂCHETTE

Annie Oakley (de son vrai nom Phoebe Ann Moses, 1860-1926) gagna sa réputation en réalisant d'étonnantes prouesses au tir dans les spectacles du Wild West Show. Elle était capable, entre autres, de toucher une pièce de monnaie entre les doigts d'un partenaire. Une autre fois, sur 1 000 balles de verre jetées en l'air, elle en brisa 943. Sa vie a fait l'objet de romans et de bandes dessinées, d'adaptations cinématographiques et pour la télévision, ainsi que d'une comédie musicale à Broadway intitulée *Annie Get Your Gun* (« Annie prends ton fusil »).

INDIENS ET COW-BOYS
Cette affiche annonçant le spectacle de Buffalo Bill avertit petits et grands que la représentation passe en ville. Les « Rudes Cavaliers » se composaient d'Arabes et de Mexicains, tout autant que d'Indiens, de soldats de la cavalerie, de cow-boys et de quelques jolies dames.

BUFFALO BILL (1846-1917)
Le pionnier William F. Cody avait tout fait : courrier du Pony Express, combattant de la Guerre civile, éclaireur dans l'armée et chasseur d'Indiens. Il avait gagné son surnom de « Buffalo Bill » en chassant le bison pour approvisionner en viande les ouvriers du chemin de fer. Les romans populaires consacrèrent sa réputation to comme le Wild West Show dont il fut le créateur. Aux yeux de l'Amérique et du monde, Buffalo Bill devint le plus célèbre modèle de héros légendaire du Far Wes

LA LUTTE AVEC L'OURS
Le goût pour l'aventure du Far West attirait le public aux représentations théâtrales ambulantes comme *The Great Train Robbery* (« la grande attaque du train »). Cette affiche promet le triomphe d'un « cow-boy » contre un grizzli.

LES PROTÈGE-PANTALONS D'UN PRÉSIDENT
Le New-Yorkais Theodore Roosevelt adorait son ranch dans le Dakota. Devenu président des Etats-Unis, il favorisa les parcs nationaux, protégea les régions forestières et préserva les trésors naturels comme le Grand Canyon, qui fut classé monument national en 1908. De longues heures de chevauchée ont usé ses protège-pantalons.

Poches

Franges de cuir

EN SOUVENIR DES SOLDATS NOIRS
Cette statue de bronze représente un « soldat-bison » – c'est ainsi que les Indiens nommaient les soldats noirs de la cavalerie. Les images populaires du Vieil Ouest, sa nostalgie et son expérience ont inspiré un nombre considérable d'œuvres d'art.

LE NOBLE INDIEN
Elk Foot (« pied d'élan »), un Indien taos, posa pour ce portrait en 1909. L'artiste, Eanger Irving Couse, le dota d'un « bâton d'exploits » porté par les Indiens des Plaines mais pas par les Taos. La couverture venait d'Angleterre et les mocassins, de l'atelier du peintre. Cependant, au-delà de la posture théâtrale du tableau, la noble physionomie d'Elk Foot nous offre l'image saisissante et impérissable d'un jeune guerrier indien.

LE CHARME DES ROMANS POPULAIRES
Les Américains adoraient les romans à sensation – que l'on pouvait se procurer pour 10 cents – et les récits d'aventures, comme dans ce magazine de 1936.

UN CAVALIER FANTÔME
Ce cavalier solitaire se découpe sur l'horizon de l'Ouest comme le spectre d'une ère révolue. Il campe le personnage d'un représentant de la loi de l'Oklahoma dans les années 1880, qui chevauchait souvent seul dans l'exercice de ses fonctions. De telles reconstitutions, à leur tour, conservent vivace, pour les générations à venir, le souvenir de l'épopée du Far West.

QUELQUES SITES INTERNET

http://www.aplp.com/#5
  L'histoire et la légende de la conquête de l'Ouest
http://membres.tripod.fr/Wild_West/homepage.html
  Les indiens, les cowboys, les chevaux
http://users.swing.be/desruelles.daniel/indiens.htm
  L'histoire et la vie des Indiens d'Amérique
http://amerindiens.koissa.net/ Aperçu de la culture amérindienne : paroles de chefs, traditions

DES LIEUX À VISITER

Musée de la Castre, Le Suquet, 06400 Cannes, tél. 04 93 38 55 26
Musée de l'Homme, Palais de Chaillot, place du Trocadéro , 75116 Paris, tél. 01 44 05 72 00
Musée du Nouveau Monde, 10, rue Fleuriau, 17000 La Rochelle, tél. 05 46 41 46 50

NOTES

L'auteur et Dorling Kindersley tiennent à remercier : Ellen Nanney et Robyn Bissette du département de développement et de licences de la Smithsonian Institution ; Richard E. Ahlborn, Paul F. Johnston, Jennifer L. Jones, Larry W. Jones, Ramunas Kondratas, David H. Shayt, Alonzo N. Smith, Lonn Taylor, Roger White et Bill Withuhn du musée national de l'Histoire américaine, Behring Center ; Nancy A. Pope du musée national de la Poste ; Gregory Marx, propriétaire de Frontier Americana.

ICONOGRAPHIE

h = haut, b = bas, c = centre,
g = gauche, d = droite
Atlanta History Center 54bg; Bill Ballenberg 22cg; Michael Brannin 18bd; Buffalo Bill Historical Center, Cody, WY 50hd; California State Library 20bd, 26cd, 27cg, 39hd; © California State Parks, 2001 53cd; © David Cain 12hd, 16cg, 25bd, 58bd; Daughters of the Republic of Texas 23bd; Denver Public Library, Western History Collection 29b; De Soto NWR, U.S. Fish & Wildlife Service 21hc, 34cg, 34c, 35cg; Dover Publications 51hc, 52hd, 59hg, 59hd; El Rancho de la Golondrinas 22cg, 23cbd; Everglades National Park 17bd; The Fred Hultstrand History in Pictures Collection, Institute for Regional Studies, NDSU, Fargo, ND 32hd, 35b, 43c, 43bd; Golden Spike National Historic Site 40b; © Judy Hedding 7bd; The High Desert Museum, Bend, Oregon 31cd, 33bg, 34bc, 34bg, 42c; Independence National Historical Park 12cg, 12c; Jefferson National Expansion Memorial/National Park Service 30cd, 31hg, 31cg; The Kansas State Historical Society, Topeka, Kansas 19bd, 53b; © Farron Kempton, GhostRiders of Tulsa (cavalier : Tim Ridgeway) 63bd; Kentucky Historical Society 15hgc; Library of Congress 11h, 12bg, 13cd, 14b, 15hg, 15hd, 15hgc, 15bdc, 15bg, 16cd, 17hg, 17hd, 17cd, 18-19h, 18cg, 18cd, 19hd, 20bg, 22-23c, 23hg, 24hd, 24bg, 24cd, 25hg, 25hd, 25c, 25cd, 25bc, 27cd, 27bg, 27bd, 28hd, 28c, 29hg, 31b, 32hg, 32bd, 36hd, 37bg, 39bd, 41cd, 42h, 43hd, 43bg, 44-45c, 46-47h, 46bg, 46hd, 47chd, 47chd, 49hg, 49hd, 50bd, 51hg, 52b, 53hg, 54hd, 55hg, 56hg, 58hg, 58bg, 60hd, 60cg, 61bd, 62cg, 63hg; Minnesota Historical Society 55hd, 55b; Montana Historical Society 35hd, 45bg; MPI Archives 7hg, 22bg, 24ch, 33bd, 34bd, 47bd; Museum of Church History and Art 29c, 31c; Museum of the Montain Man 19cbg; National Anthropological Archive : 47hd, 48bg, 49hc; National Archives 11b, 21hd, 39hg, 49cd, 49b, 50cd, 61h; National Museum of American History 12cd, 15bd, 20h, 21bd, 24cg, 25ch, 23hd, 30hd, 32bg, 37bd, 39bd, 41bcg, 41bd, 45bd, 48cg, 48chd, 51hd, 54cg, 54bd, 56bg, 56bc, 56bd, 59bd, 62bg, 63hd, 63cd, 63cd; National Museum of Natural History 9hd, 10c, 13cg, 13c, 27hd, 27hc, 46hg, 47bg; National Museum of the American Indian 8bg, 9hg, 10hd, 11cg, 15bdc, 17bg, 48bcd, 48bd; National Park Service 12bc, 12bd, 14hg, 22hd, 28bg, 28bd, 34-35h, 38bg, 44hd, 44bd, 45bg, 45hd, 48c; National Portrait Gallery 62hd; National Postal Museum 13hcg, 37hg, 37cg, 41bcd, 61cd; National Zoological Park 6cd, 6b, 7cd; département du développement économique du Nebraska 6hd; Nebraska State Historical Society 33h, 43hg, 59bg, 60-61b; North Carolina Museum of History, Raleigh 23bg; reproduit avec l'autorisation de Pinkertons, Inc. 51ch, 51b; Smithsonian American Art Museum 8bg, 8bd, 9cg, 9bd, 10bg, 10bd, 13hd, 26bg, 63bg; St. Joseph Museum, St. Joseph, Missouri 36b, 37hd; State Historical Society of North Dakota 21hg; Union Pacific Railroad Museum 40h, 41chg, 42b; utilisé avec l'autorisation de la Utah State Historical Society, tous droits réservés 29hd; West Point Museum 48hd; Mark Winter Collection 23chd; Woolaroc Museum, Bartlesville, Oklahoma 16bc; office de tourisme du Wyoming 6hd.

Couverture : Dorling Kindersley pour tous les documents utilisés.

Tout a été fait pour retrouver les propriétaires des copyrights. Nous nous excusons par avance des oublis involontaires. Nous serons heureux, à l'avenir, de pouvoir les réparer.